Sara Sand

Vous,

BALANCE

♎

TCHOU

ZODIAQUE INTIME

CRÉDIT PHOTOGRAPHIQUE

© 1998, Éditions Sand, Paris
6, rue du Mail - 75002 Paris

Sommaire

Seconde partie

Avertissement

Vous, Balance

Tendre et brumeuse comme un ciel de Pâques, si belle et juste, si élégante et si unie à votre âme sœur.

Ne tardez pas à ouvrir ce livre. Non seulement il va vous permettre de vérifier que votre choix fut le bon, mais aussi de vous assurer que celui de votre amour/conjoint fut également inspiré : vous doutez tellement de tout...

Pour connaître votre ascendant et la position des planètes le jour de votre naissance, tapez le 3615 code GALA ou appelez le serveur vocal de Sara Sand à GALA : 08.36.68.01.15.

Reportez-vous au chapitre : « Comment déterminer les grands axes de votre destinée, en recherchant votre dominante astrale ». Inscrivez vos coordonnées de naissance page 169 ; ce livre sera désormais vôtre.

Vous allez vous apercevoir que vous tenez un outil précieux. Non seulement parce qu'il vous permet de vérifier que vous aviez raison, mais aussi parce qu'il vous conforte dans l'idée que la compréhension, la tolérance, la douceur, la tempérance sont la clé de l'harmonie : dans votre couple, dans vos relations professionnelles et amicales, aussi bien que dans votre carrière. Enfin, vous serez encouragée à poursuivre votre idéal esthétique, à développer vos talents, à vous entourer d'art et de beauté. Il polira en un mot la clé de votre équilibre.

Première partie

Jacques Bénigne Bossuet

Introduction
au signe de la Balance

Si vous êtes né entre le 23 septembre et le 22 octobre, vous êtes du signe de la Balance. Signe d'air, cardinal, masculin, il correspond au moment de l'année où les jours se mettent au diapason des nuits. L'équilibre, la mesure, le partage sont donc des valeurs symboliquement rattachées à la saison, qui se trouve entre l'été et l'hiver, entre la chaleur et le froid, entre la fin d'une moisson et le commencement d'une autre. Avec leurs feuilles d'or cuivré, les arbres préparent l'humus de la terre. Faite de mesure, d'équilibre, d'harmonie, la Balance est aussi très sensible à l'Autre, l'alter ego – son jour, si elle est nuit, sa nuit, si elle est jour – et elle oscille entre Vénus (l'amour) et Saturne (la restriction). Il n'est pas difficile de distinguer une Balance des autres signes, parce qu'elle dégage une harmonie intérieure, à la fois inquiète et sereine, heureux compromis entre la grâce de Vénus et le repli de Saturne.

11

Mythologie de la Balance

Thémis, la déesse aux pommettes saillantes est liée à la Balance. Fille d'Ouranos et de Gaïa, sœur de Saturne et tante de Zeus, elle conseillait ce dernier (le roi des dieux) dans le gouvernement de l'univers. Dès qu'un litige se présentait, dès qu'un médiateur était nécessaire, l'intervention de Thémis était sollicitée.

Or, il advint que son neveu, Zeus, la força à l'épouser (alors qu'elle-même désirait garder sa virginité). De cette union, naquirent trois premières filles : l'Equité la Loi et la Paix. Ce sont trois valeurs chères aux natifs de la Balance. L'Equité, parce qu'elle évite tout désordre; la Loi, parce qu'elle est garante du bien public; la Paix, parce que c'est le seul état qui permette à l'homme d'évoluer, de progresser dans le respect et l'amour.

Thémis eut encore d'autres enfants de Zeus, son royal et cependant incestueux époux. Thallo, Carpo et Auxo, les Heures. Ces trois divinités furent chargées de surveiller l'ordre et la succession des saisons. Là se révèle un nouvel aspect de la Balance : l'aspect saturnien. Elle mesure son temps et, partant, celui d'autrui ; elle le garde, elle assure l'ordre, l'équilibre (un temps pour chaque chose) et les proportions horaires.

Enfin, Thémis donna naissance aux Parques, qui devaient déterminer le destin des hommes : Clotho, qui tenait le fil de la vie des hommes, Lachésis qui en mesurait la longueur et Atropos qui en coupait le fil. Là encore, c'est de l'aspect saturnien de la Balance que la mythologie nous parle. En effet, Thémis la gracieuse, l'accorte, la reine des liens harmonieux entre les hommes est indissolublement liée à Saturne-Chronos, celui qui calcule le temps, mesure les élans, éventuellement sépare. Il est vrai que le temps sépare, apporte l'oubli, apaise les passions, fait mourir.

Un autre mythe est lié à la Balance : Vénus. Il en est deux, dans la mythologie : Vénus Uranie et Vénus Astarté. L'on donne à la Balance Vénus Uranie, parce qu'il s'agit d'un amour sage, saturnisé. Il y a synergie entre Vénus, généreuse, chaleureuse, lumineuse et belle, et Saturne, froid et a priori très distancié, qui s'humanise en présence de Vénus : de jaloux, critique et revêche qu'il était, Saturne s'exalte en Balance. Il donne sa rigueur, sa mesure, sa réserve et sa profondeur à Vénus, qui, par nature, est un peu trop prodigue de ses dons, de son temps, de ses services, qui déborde de bonté.

Friedrich Nietzsche

Symbolique de la Balance

L'archange saint Michel tient en ses mains la balance ou le glaive. Parfois les deux. On le fête d'ailleurs le 29 septembre, dans le signe de la Balance, au moment où l'on passe du monde physique au monde spirituel. L'être se prépare à s'intérioriser puisque les jours vont raccourcir. Lorsqu'on entre dans l'automne, on préfigure, symboliquement, l'entrée dans l'âge mûr, qui précède la mort. Saint Michel pèse les âmes, autrement dit, il nous prépare au Jugement dernier. Nous devons, sous ces auspices, rejeter le superflu, l'inutile, le provisoire, pour accéder aux vérités profondes de l'être, celles qui ne sont pas tributaires du temps, des modes, des opinions.

Les plateaux de la Balance sont également déséquilibrés par le plus petit excès, d'un côté ou de l'autre. C'est pourquoi on le considère comme un signe lié à la Justice, à la Loi, au Jugement, il régit donc une forme d'impartialité, de discernement, de perception des contraires.

Il est important de remarquer que la Balance représente par excellence le couple, car le couple n'est viable que dans une totale réciprocité des énergies, un respect de la personnalité et des besoins de l'autre, un échange parfait ; mais il est facile de déséquilibrer les plateaux par un excès de poids d'un côté, non compensé de l'autre; cela implique donc une grande fragilité, une grande réceptivité : un gramme peut déstabiliser la Balance ! L'équilibre n'est jamais acquis, il faut être sur le qui-vive, constamment le préserver.

Edward Montier a écrit un sonnet élogieux sur la Balance :

O Balance, que rien ne fausse ou sollicite
Et que fait osciller un esprit scrupuleux,
Soumise à cette loi régulière et tacite
Qui veut parfois égaux jours et nuits aux cieux bleus.

Insensible à nos vœux, rien d'humain ne t'excite,
Tu restes immobile ; un pouce frauduleux
D'aucun côté jamais à penser ne t'invite :
L'aiguille a moins d'aplomb, que nos cœurs ont en eux.

Affolés tout à coup, emportés dans l'espace,
Nous retombons bientôt déprimés, l'âme basse,
Lourds et légers parfois, tout ensemble bleus, noirs.

Equilibre divin qui soutiens la nature
Oh, fais égaux du moins aux malheurs les espoirs :
Qu'un baiser neutralise en nous chaque torture !

Alphonse de Lamartine

Yves Montand

Portrait
de l'homme Balance

Il produit une impression très différente selon qu'il est maîtrisé par Vénus ou Saturne (il peut y avoir d'autres tendances, mais ces deux sont inhérentes à la Balance). Le vénusien a la danse dans l'âme et le rythme au corps. Il est affable, excessivement attentionné (exagérément ?), concerné, touché, ému, attiré par autrui, les femmes, principalement, parce qu'il trouve en elles un écho à sa sensibilité pleine d'ultra-perceptions, au raffinement de ses sentiments. Aussi, le voyez-vous partout, toujours invité par ses amies, amantes, protégées, muses, et aussi par les femmes des autres. L'explication d'un tel phénomène de popularité ? La voici : il est doux. Il est la douceur incarnée. Si on lui vole sa place en tête de file à une station de taxi, il ne se défend pas, même s'il pleut des cordes et qu'il est en retard. Il apparaît souvent comme un être indécis, velléitaire, faible. Grave méprise (mais non des pires que l'on commet à son propos) : en fait, les décideurs sont des gens qui sacrifient, excluent, prennent (plutôt de force que de gré). Lui aime trop donner, unir, réconcilier, pour imposer sa volonté. Alors, c'est vrai, il sacrifie souvent ses propres désirs pour ceux des autres, et sans que ces autres s'en doutent.

N'instruisons pas un procès trop idyllique du sieur Balance, il a ses faiblesses. Par exemple, ce besoin d'être aimé. Il peut lui faire faire n'importe quoi, renoncer à des travaux en cours, trahir ses attachements antérieurs, balayer des considérations morales. Par amour, il peut commettre de grandes erreurs, renier ses engagements, ou platement, perdre un peu la raison. Il est capable de porter le parfum d'une femme aimée, pour souffrir moins de son absence, de garder ses draps trois semaines par fétichisme, de devenir végétarien par amour...

Le saturnien, en revanche, serait plutôt taciturne. Austère, distant, solitaire, tant qu'il n'a pas trouvé la muse, la complice, l'égérie, la partenaire, l'épouse, la femme de sa vie. Elle existe, il en est convaincu. C'est pourquoi, vous le voyez célibataire à un âge où l'on trouve indécent de l'être, attentif à toute créature gracieuse (et belle) en âge d'être courtisée, lui faisant sa cour comme un chevalier médiéval, respectueux de ses quatre volontés, s'en retournant dans sa tanière, seul, si elle n'est pas la créature conforme à son idéal. De toute façon, il ne renonce pas à la trouver, même après trois mariages échoués, et quelques épaves. A moins qu'il ne choisisse la voie zen ou bouddhiste, du vide parfait. On trouve un grand nombre de vocations religieuses ou monastiques chez les Balances saturniennes.

A part ces dispositions amoureuses, il aime les autres. Avec distance et mesure. Il les soupèse, les jauge, les analyse, les observe, les justifie dans leurs imperfections et les gracie dans leurs manques, avec la même impassibilité souriante, aimante, aimable, la même sensibilité, la même pudeur de sentiments.

Louis Aragon et Elsa Triolet

18

S'il a parfois de fortes colères, qui chamboulent les ions atmosphériques comme un orage en pleine montagne, s'il peut lui arriver de bouder de longues heures, il se montre le plus souvent altruiste, serviable, prodigue de prévenances, de sollicitude. Ce que d'aucuns prennent pour de la pusillanimité.

En fait, il sait se mettre à la place de son prochain. Ses gestes, ses paroles, ses jugements sont mesurés, comme toute sa personne.

Quoique sociable, l'homme Balance ne se livre pas au premier venu. Ni aux suivants. Indulgent, pas complaisant. Sous ses dehors liants, il lui faut du temps pour se laisser apprivoiser, amadouer, puis attacher.

Il a peu ou pas d'amis, et ne les cultive nullement. Ce sont eux qui le cultivent. Il consacre beaucoup de temps et de force à sa carrière (qu'il mène tranquillement, doucement, affablement à son faîte) puis à la culture de son corps. Il n'est pas rare de voir un homme Balance pratiquer un sport jusqu'à l'excellence. Quant à ses loisirs, ils dépendent beaucoup de son alter ego.

Il est toute sa vie en quête de l'alliée idéale. Et curieusement, malgré ses dispositions et son goût de l'harmonie conjugale (c'est l'un des seuls à goûter, savourer le train-train quotidien, la routine qui désagrège la plupart des autres couples), il peut avoir du mal à trouver la moitié de ses rêves. Pourquoi ? Sans doute parce qu'il lui demande d'être à la fois sœur, inspiratrice, partenaire, complice, amante, amie, épouse, jumelle et proche parente. Il attend cette perle rare et il a du mal à la trouver. Justement parce qu'il la place sur un piédestal. Justement parce qu'il ne peut pas s'entendre avec n'importe qui. Justement parce qu'il l'idéalise et ne se réalise qu'à travers elle. On pense à Scott Fitzgerald qui faillit sombrer dans la folie et l'alcoolisme par amour pour Zelda. On songe aussi à Abraham Lincoln qui passa la moitié de sa vie à attendre que sa femme le rejoigne dans les divers États où il plaidait ses affaires (avant d'être élu président des États-Unis d'Amérique) et l'autre moitié à lui écrire et à attendre des réponses qui tardaient... Garcia Lorca, Lanza del Vasto, Yves Montand, Aragon, tous ces hommes au destin fragile, si dépendants de leur compagne pour leur équilibre.

L'homme Balance est très respectueux de son épouse, lorsqu'il l'a dénichée. Si elle tient à être mère, il y consent, mais ne l'y oblige pas. Et si ses enfants ne trouvent pas en lui un père, au sens pédagogique, charnel ou hugolien du terme. Ils jouissent, en revanche, d'un compagnon de jeux, d'un interlocuteur de choix, d'un convive merveilleux, parfois loquace, toujours souriant, bien mis, cultivant sa forme physique, dosant attention et distance, écoute et silence.

Quelles que soient les circonstances par lesquelles vous l'abordez, vous serez surprise par son raffinement. C'est dans sa nature, cela émane de ses sentiments, de sa voix, de ses jugements. Tout est mesuré en lui. Il mesure ses élans, il dose ses propos, il pèse ses décisions, il tempère ses émotions et régule ses angoisses. Exactement comme il aime que les autres se conduisent à son égard : avec respect. Justesse. Justice. Equilibre.

L'homme Balance en amour

Pas forcément séduisant, c'est un homme qui séduit. Par sa bienveillance, son attention, sa sensibilité, son respect d'autrui. Il garde un quant-à-soi très britannique, un certain humour (Fred Astaire, Buster Keaton en sont de vivants souvenirs) et ne perd jamais la face. Il se moque volontiers de lui-même.

Il est lent à dévoiler ses sentiments profonds, cachant toujours son intérêt derrière un masque. Il lui arrive de prendre une (timide) initiative, après avoir longtemps conté fleurette, mais le plus souvent, il attend que ce soit elle qui fasse les premiers pas : son désir que la femme soit son égale est plus fort que son attrait, son attirance et son amour. Il lui faut la « permission » de l'approcher, de la toucher, de la caresser. Il ne la forcera jamais à quoi que ce soit puisque, pour lui, le vrai bonheur est dans l'échange, la communication. D'ailleurs, il aime bien attendre. Peser le pour et le contre. Hésiter. S'éloigner pour un temps. Revenir. Dans ces valses-hésitations, il se trouve parfois devancé par un rival qui a enlevé la belle avant lui. Il fait bonne figure, même si, intérieurement, il peut être atteint de dépression pendant plusieurs mois, après un échec sentimental.

Il aime avec douceur, sensualité et vive émotion. Sa façon d'exprimer son désir ne sera jamais brutale, captatoire, ou maladroite. Il sait respecter l'autre, lui témoigner tendresse et attachement, maîtriser ses « appétits » physiques le temps qu'il faut. Au demeurant, il ne peut éprouver de désir s'il ne sent pas en l'autre le même désir. C'est dire à quel point la communication (même non verbale) est vitale à ses yeux. De la même façon, il n'aime pas être brusqué. Il n'aime pas se sentir chassé, comme un gibier, et il peut être rebuté à tout jamais par quelqu'un qui le force, dans ses décisions comme dans ses actes. S'il aime, il finit par épouser. Il y met temps et réflexion, mais il épouse.

Comme sa femme est appelée à prendre la part la plus belle de son existence et qu'il lui consacre beaucoup de son temps, de son attention, de ses loisirs, il ne se précipite pas sur la première venue. D'abord, il aime qu'elle soit son égale ; donc, qu'elle ait à peu près le même âge que lui. Puis il aime qu'elle soit belle. D'une extrême beauté, qui marie l'élégance à la grâce, une sensualité maîtrisée à un corps harmonieux et qu'il puisse sortir dans le monde avec fierté. Beauté de traits, de corps et surtout de sentiments.

Enfin, il apprécie qu'elle ne soit pas n'importe qui : Elsa Triolet, l'épouse d'Aragon, était un écrivain confirmé, comme l'était Zelda Fitzgerald; Simone Signoret était comédienne. Mais l'épouse de Philippe Noiret est restée dans son ombre et il lui voue une admiration tout aussi grande que si elle avait été étoile à l'opéra ou virtuose de la harpe.

Ce n'est pas tant la célébrité que l'homme Balance apprécie chez sa femme que sa capacité à émouvoir et attirer les autres, puisque lui même est un « animal » très social.

Il n'est pas jaloux, en tout cas, préférera se couper la langue que de le montrer. Il dit : « J'ai confiance en mon alter ego. Je n'en suis pas propriétaire. Elle s'appartient. Elle sait aussi bien que moi distinguer entre le Bien et le Mal. » Et s'il doit être trompé, tant pis pour lui. Il en prendra pour son orgueil mais subira l'échec et la souffrance en silence, sans se plaindre.

Sting et sa femme

L'homme Balance au travail

La justice, depuis sa tendre enfance, l'obsède. Il est toujours tenté par les métiers de juge, d'avocat, de juriste, car sa mission plus ou moins consciente est de mettre de l'ordre dans une société en déroute. Il ne supporte ni les intolérances ni les partis pris ni les entraves au libre arbitre de l'homme.

Pour lui, le jugement est l'attribut souverain de la pensée. Impartial, impavide, plein d'une amicale tempérance, il s'impose en douceur, par une forme d'ironie sarcastique et lucide.

Il est souvent entraîné dans l'analyse de l'humain, qu'elle soit psychologique (il devient alors analyste ou écrivain), sociologique (il se spécialise dans les idéologies, les croyances), métaphysique ou artistique. Plus qu'un artiste, à proprement parler, c'est un observateur détaché de l'art. C'est aussi un remarquable humoriste, ou encore un acteur de talent.

Même lorsqu'il choisit les métiers de justice, son allure compte beaucoup dans sa réussite, sa façon de s'habiller, mais aussi ses gestes, sa mesure, son amabilité distante.

Il est cependant capable d'entrer dans des colères (froides) intenses, mais il les maîtrise jusqu'au bout.

S'il choisit une profession moins libérale, il est très apprécié de ses collaborateurs, collègues et supérieurs, qui voient en lui un agent de conciliation, un être d'élite et de prestige (quand il est vénusien, car bien vêtu, beau ou plein de charme, il présente bien), un merveilleux intercesseur et pacificateur.

Partout où il se trouve règnent l'ordre, l'harmonie, la concertation, la bonne volonté, une certaine forme de sérénité. Mais il est fragile et très démuni devant l'agressivité, la mauvaise foi et la vulgarité qu'il ne tolère pas. Il peut être terriblement démonté par une atmosphère de conflit, et préférera s'éloigner, perdre la bataille plutôt que d'être longtemps confronté à la disharmonie, aux hostilités, à la traîtrise. Tout ce qui est laid, dans l'âme comme dans le corps ou les circonstances extérieures l'anéantit plutôt que de le motiver. Sauf si une dominante martienne ou plutonienne le stimule et lui donne l'énergie d'affronter son adversaire. Quant à la rétribution de ses services ou dons, ce n'est pas un facteur essentiel dans sa vie. Sauf si l'ascendant est en Scorpion ou Taureau, gagner beaucoup d'argent ne l'intéresse pas. Il privilégiera toujours la convivialité, une atmosphère d'harmonie et de bonne entente dans son milieu de travail, à une responsabilité rémunératrice.

Il n'apparaît généralement pas comme un grand travailleur : c'est quelqu'un qui se concentre durant une ou deux heures, puis qui éprouve le besoin de s'aérer, de changer de sujet de préoccupation, de communiquer avec ses semblables. Il supporte sans rechigner les ordres et les manifestations d'autorité, cherchant plutôt à désarmer son éventuel directeur qu'à le contrer, même s'il n'est pas d'accord avec sa façon de diriger les choses.

Mais ce n'est pas un travailleur forcené, comme peut l'être un Taureau ou un Capricorne. Il réussit souvent brillamment, mais plus parce qu'il a de la chance, qu'il passait par là au bon moment, qu'il a attiré la sympathie de l'homme en place que par acharnement et labeur.

Il cueille non pas exactement le fruit de son mérite, mais celui de son savoir-être, qui est porté au rang de savoir-vivre et savoir-aimer.

L'Homme Balance et sa santé

Attention : fragile ! Un rien trouble cette mécanique subtile comme une horloge ancienne. Les écarts alimentaires lui sont fatals. Et s'il est gourmet, il commet parfois des excès gastronomiques qu'il « paie » plus cher qu'un autre : en migraines, en troubles gastriques, en malaises diffus. Très soucieux de sa bonne chère, il l'est tout autant de sa ligne (svelte) et de son poids, ainsi que de sa santé. Il commet donc de grandes erreurs dans sa jeunesse qui lui servent de leçon. Ensuite, plus rien ne l'atteint.

S'il a un point faible, ce sont les reins, aussi doit-il les ménager, en buvant beaucoup d'eau, en mesurant sa consommation d'excitants (le café, l'alcool, les épices et le poivre sont particulièrement néfastes pour sa santé).

Il a aussi besoin de beaucoup dormir, de prendre souvent de petites vacances et d'être aimé. La prescription numéro un d'un homme Balance est de se trouver entouré d'affection, de tendresse et d'amour. Les médicaments eux-mêmes n'ont presque pas de pouvoir s'ils ne sont servis par un être aimant.

Quand il tombe malade (cela peut lui arriver ! une grippe, une indigestion...), les médecines douces et une semi-diète lui sont plus bénéfiques que des médications radicales. D'ailleurs, il a un instinct très sûr et sait choisir la juste thérapie. Somme toute, c'est un être d'équilibre.

Ce qu'il faut faire
pour séduire et garder un homme Balance

- Respecter ses rythmes, ses pauses, ses réserves, ses fuites et ses silences.
- Etre belle, dès le saut du lit.
- Etre toujours bien coiffée, parfumée, vêtue d'atours neufs et bien repassés.
- Aimer la lecture, la conduite automobile, la natation, le chant, se sentir aussi bien au bord de la mer qu'en haute montagne.

- Etre autonome et, cependant, avoir le goût de tout partager.
- Laisser tomber une omelette qui cuit dans la poêle pour faire un câlin.
- Tourner sept fois sa langue dans sa bouche avant de ronchonner. N'émettre des reproches que voilés ou détournés : il a tant besoin d'être approuvé.
- Jouer d'un instrument de musique et être experte en jeux de société.
- Organiser des dîners mondains deux à trois fois par semaine.

Henri Bergson

Le petit garçon Balance

C'est un communicant avant d'être un enfant. Il parle et écoute, interroge et enregistre, enquête et découvre. Son goût pour l'harmonie est si fort qu'il peut y sacrifier une grande part de ses privilèges d'enfant et de ses droits (y compris celui d'aînesse). Il annule vite les discussions, se plaint rarement, évite d'être grondé et, s'il est victime d'une injustice, à l'école, dans la rue, avec ses frères et sœurs, ou auprès de ses parents, il renonce à restaurer la vérité par horreur du conflit.

Il faut donc lui apprendre à s'exprimer quand il est en colère (ce qu'il ne sait pas faire), l'autoriser à réclamer justice et écouter sa défense – ou son attaque – en lui prêtant l'attention nécessaire. Il est aussi recommandé de lui faire pratiquer, dès l'âge de 3 ans, un art où il développe son instinct de la beauté et celui de l'échange : poésie, marionnettes, chansons, aquarelle.

Jean-Jacques Goldman

S'il a l'ascendant Bélier, Lion ou Sagittaire, il sera plus enthousiaste, plus actif et entreprenant ; il aura une grande confiance en lui, instinctivement, après une phase de réflexion et de maturation. Il s'orientera davantage vers les sports, les exercices physiques, les activités de groupe altruistes, comme le scoutisme ou le volontariat social.

Si son ascendant est en Cancer, Scorpion, Poissons, il se montrera plus rêveur, plus vulnérable ; il est impératif, pour lui permettre de trouver un équilibre, de l'encourager à développer ses dons créatifs (même s'ils se sont à peine exprimés).

Si son ascendant est en signe d'air (Gémeaux, Balance, Verseau), il sera captivé par toutes les formes de communication, de journalisme, d'information et d'échanges, voyages, relations, écriture, publicité...

Il faudra orienter ses études et ses centres d'intérêt en ce sens, tout en préservant des moments de loisir où il crée, invente ou joue d'un instrument de musique.

Développer son sens de la beauté est pour lui très important. Même une promenade le long d'une rivière, en observant les oiseaux et les arbres, les fleurs et l'harmonie de la nature aura un effet beaucoup plus magique et fécond sur le développement de sa personnalité, que le dernier film sur ses idoles du karaté, ou le gadget à la mode.

Ce qu'il faut faire
pour être aimé du petit garçon
Balance

- L'écouter, l'interroger, lui parler, le comprendre.
- Etre toujours bien habillé, bien coiffé, et souriant.
- Entamer des dialogues à propos de tout.
- Lui enseigner un sport noble : escrime, judo, etc.
- L'abreuver de lectures d'Alphonse Daudet, de Mark Twain et de Jules Verne.
- L'habiller avec des vêtements de goût : il aime avoir du style.
- Lui offrir des eaux de toilette, des savons de luxe, un numéro de téléphone personnel.

Marie Laforêt

Portrait
de la femme Balance

C'est une enchanteresse. Altière, ondoyante comme une caresse d'écume, toujours à quelques millimètres en deçà (ou au-delà) du lieu où on l'attend.

Vous la reconnaissez à cette imperceptible expression de passagère en transit, que ses yeux larges, ouverts jusqu'aux tempes (voyez Marie Laforêt, Catherine Deneuve, Brigitte Bardot, Ludmila Tchérina, Farah Dibah) accentuent.

Elle a une façon bien à elle de reculer, de s'éloigner, en vous écoutant, même si elle ne bouge pas : c'est quelque chose dans ses attitudes, une grâce souveraine, un port hiératique, son maintien, sa voix basse, aux tonalités feutrées, voilées. Tout de suite, il se passe quelque chose : elle attire. Les hommes surtout. On le lui reproche assez. Et elle en impose.

La femme Balance, depuis son plus jeune âge, a étudié ses semblables. Elle les a interrogés, du regard et en silence. Elle les a observés, cherchés, analysés, filés, et, sans doute aussi aimés. Cela se perçoit mal, à cause de cette froideur, de ce givre qui recouvre ses gestes, ses molécules, ses propos. Mais elle aime. Peu de gens, il est vrai. Voilà qui peut paraître paradoxal : si l'amour est son oxygène, son mobile secret, sa source, il se limite à fort peu d'élus. C'est là l'action de Saturne, qui élague, coupe les pousses accessoires sur la branche afin que la sève ne s'éparpille pas en ramifications, que la plante s'élève. Ce parti pris de se réserver à quelques «happy few» constitue aussi une faiblesse... Car viennent ces «choisis» (entre mille) à disparaître de son horizon, à lui manquer (ce sont des choses qui arrivent : dans l'enfance, à l'école, à l'adolescence, où les émois sentimentaux affluent, nos Balances sont soumises à de rudes épreuves : confrontées à l'instabilité des foyers, aux aléas des mutations parentales, aux humeurs des jeunes gens, à l'infidélité, à l'inconstance des émotions), vienne un de ces élus à disparaître, disais-je, les Balances perdent toute leur belle assurance, elles s'effritent. Ces expériences de séparation les bouleversent plus qu'aucune autre et elles n'ont pas de ressource pour réparer le plateau vide : pas d'amis vraiment proches, pas de soutien dans la foi (la Balance est un signe de doute) ou dans son métier (toujours secondaire par rapport à sa vie affective). La femme Balance se déploie dans la relation amoureuse, la relation de couple et le travail, si l'Autre l'y encourage.

Même la maternité est pour elle un moyen d'exprimer à son époux l'amour qu'elle lui voue. Elle est tout à fait capable de délaisser ses enfants s'il s'en va.

Il peut y avoir plusieurs hommes dans sa vie amoureuse. Mais pas d'amies. Des relations, des contacts, des parents (avec la notion d'obligation, de devoir, de contrainte que cela implique) ; des enfants – elle les apprécie, même si elle les fait passer après son homme. Mais pas d'amies. Ni d'amis.

D'abord, pour avoir des amis, il faut se dégager des connotations sexuelles qu'implique la fréquentation des hommes. Or, elle aime jouer sur ce terrain. C'est une allumeuse de tout premier ordre. Ensuite, elle se pose volontiers en rivale des autres femmes.

On se demande pourquoi sa vie amoureuse est plus turbulente que celle des autres spécimens de son sexe. C'est simple : elle a besoin de séduire les hommes. Elle aime leur regard, leur voix, leur travers et leur «mâlitude». Et quand elle aime, cela dure mille ans. Mais leurs sentiments à eux changent, se dégradent ; alors plutôt que de souffrir, elle se détourne, s'élance avec fougue vers un autre amour.

Elle accepte sans scènes et sans récriminations ce qu'une Capricorne ou une Scorpion refuse : que son dieu se lasse d'elle, qu'il lui préfère une autre créature. Elle cherche alors un nouvel amant. Elle se console assez vite plutôt que de tomber dans le lot peu enviable des femmes trahies (elle est digne, elle a horreur qu'on la plaigne, et horreur des critiques à propos de la mensongère démission masculine). En fait, plutôt que de sombrer dans la misandrie de ses sœurs féministes, elle va vite remplacer le boulon défectueux. D'abord pour ne pas mourir de tristesse, ou se laisser mourir, ce qui serait sa première tendance. Ensuite, pour aimer encore, tout le temps.

Comprenons-nous bien : l'autre est toute sa raison d'être. L'homme est son aliment, sa substance vitale, celle qui lui donne la force d'exister. Il est le regard par lequel elle voit, sa lumière dispensatrice de jour. L'homme est son séraphin, son troubadour, son passe-temps d'élection, son peuple élu, son chantre de vie, son baladin. Il lui donne la cadence pour les battements de son cœur, le courage de se nourrir, de repeindre en bleu le ciel chaque matin.

C'est en ce sens que la Balance est une créature fragile, sous ses dehors de lame inoxydable : elle n'a aucune issue de secours, affectivement parlant. C'est à travers lui, en lui, qu'elle s'accomplit. Lorsqu'elle décide de combler cette lacune en elle, elle augmente le nombre des personnes qui l'entourent mais le principe reste le même : ce sont des relations amicales, pas des amis. L'amitié implique d'être disponible, de donner la priorité à certains par rapport à l'époux. Or la Balance est rigoureusement incapable de se consacrer à quelqu'un d'autre qu'à son amour. C'est ainsi. On peut se lamenter, regretter ce manque de chaleur, de complicité amicale, mais on ne la changera pas. Telle la lame de la Justice, dans le tarot, elle accomplit ce pour quoi elle est faite.

La femme Balance en amour

Elle est suave comme un bain de miel. Personne ne lui résiste. D'abord parce qu'elle inspire l'amour, le respire et l'expire comme d'autres le pardon ou la charité. Ensuite, parce qu'elle fait tout pour cela. Quand je dis tout, je veux dire vraiment tout.

Elle est capable de renoncer à la richesse, à la célébrité, à la réussite, par amour ; pourtant, Dieu sait si elle aime les gagnants. Elle est capable de risquer sa vie, sa réputation ou, dans un registre moins héroïque, de se livrer à la médisance, à des comportements provocants pour captiver l'attention de l'homme sur qui elle a jeté son dévolu.

Elle est aussi capable de se dépasser : de dormir sous une tente pleine de mouches collantes, pour éblouir son sociologue. De manger des sauterelles dans du riz gluant ou de respirer des odeurs d'égout pour le suivre dans les catacombes.

Il est difficile de ne pas être séduit par une Balance : il faut qu'elle soit vraiment très amoureuse de quelqu'un d'autre ou très malade. Elle est si féminine, gracieuse, belle, enjouée, lumineuse, attentive, tolérante. Elle dégage un sex-appeal si intense et involontaire (au contraire de la femme Scorpion, qui le fait exprès). Elle est l'incarnation de la beauté féminine. Les autres femmes du Zodiaque n'atteignent jamais cette perfection esthétique : elle est belle en tout. Sa démarche, ses mouvements, sa tenue, sa coiffure, son maintien, sa voix, son parfum, son silence, sa présence, ses paroles. Tout est beau. Tout concourt à créer, autour d'elle, un climat d'enchantement serein, harmonieux. Aucun détail n'est laissé au hasard, aucun effort ne lui paraît superfétatoire pour réussir à ce que l'être aimé éprouve l'amour qu'elle ressent pour lui. Lui faire partager ses émotions, sa tendresse, son désir. Elle a besoin d'éveiller son désir et ne peut l'éprouver sans qu'il y participe.

Bien qu'elle soit sensuelle, elle ne peut désirer un l'homme si elle n'est pas amoureuse, s'il ne l'éblouit pas par ses qualités intellectuelles et sa richesse affective. Elle est romantique et sentimentale avant d'être ardente. Elle idéalise l'objet de son amour, elle a besoin de lui être accordée émotionnellement. Pour elle, l'union de la chair n'a de sens que si elle est accomplie dans une communion parfaite d'âme et d'esprit.

La richesse, la beauté, la gloire de « son » homme ne l'émeuvent pas s'il n'a pas d'abord l'âme d'un preux chevalier.

Bien qu'elle puisse assez longtemps être qualifiée d'allumeuse par un grand nombre de ses rivales, du fait de son besoin de plaire à tous les hommes (sans exception), de vérifier qu'elle peut les emballer, elle serait justiciable du diagnostic de : « fleur bleue ayant besoin d'être aimée » plus que de celui de ravageuse. En fait, son besoin d'être aimée des hommes la cantonne dans des rôles stéréotypés de séductrice.

Brigitte Bardot

Avis aux messieurs : elle est l'une des plus exquises créatures du Zodiaque et la plus bienveillante, bénéfique des épouses : à l'écoute de son alter ego, elle compose avec ses goûts, ses humeurs, ses volontés. Elle modifie très facilement ses projets pour se conformer à ceux de son élu. Par-dessus tout, elle recherche l'harmonie qu'engendre le dialogue. Amoureuse de la concertation, elle goûte la communion, l'intimité amoureuse, l'échange.

Même après vingt-cinq ans de mariage et trois enfants, elle préfère que vous l'emmeniez dîner en amoureux plutôt que vous lui offriez un grand voyage incluant la présence de tiers. Non qu'elle néglige ses devoirs maternels ou sociaux. Mais ce qui ne concerne pas son couple passe en dernier.

Si vous voulez conquérir ou reconquérir une femme Balance, sachez que votre attention prévenante, votre présence, votre écoute sont plus prisées qu'un bijou ou un présent, fussent-ils de valeur.

Sachez aussi qu'elle se remet, mieux que les autres, d'une rupture : elle aime tant la gent masculine avec ses travers, ses traîtrises, ses failles qu'elle retrouve très vite preneur et prétendant. Si la complicité intellectuelle, la communauté de goûts n'est plus aussi vibrante qu'autrefois, elle se détache.

De même, si son homme la délaisse, la maltraite, n'apprécie plus sa compagnie, elle ne fait pas dans le martyre. Ce n'est pas elle qui s'obstinerait à le convaincre qu'il a tort (comme une Taureau ou une Scorpion). Elle laisse libres ceux qu'elle aime. Elle leur fait confiance. En cela, elle met vraiment en pratique un idéal amoureux de tolérance, de respect de l'autre (jusque dans les déboires du couple) et de fidélité à l'engagement pris.

La femme Balance au travail

Son talon d'Achille : elle ne supporte la laideur et la médiocrité sous aucune forme. Elle peut tolérer la pauvreté – et pourtant, à ses yeux, c'est le huitième péché capital – si elle est rendue esthétique, comme sur certaines îles grecques. Elle peut admettre la platitude des sentiments, voire la trahison si les personnes qui en sont auteurs portent beau, gardent de l'allure, de beaux atours, de l'élé-gance, une silhouette harmonieuse, des cheveux bien coiffés, brillants, les signes extérieurs et injustes de la jeunesse et de la beauté.

Mais gare à l'aspect négligé ou mal tenu d'un ensemble vestimentaire ; à l'indignité populeuse d'un site, au désordre d'un habitat ; elle préfère des murs insalubres mangés par le salpêtre à un logis dont elle juge l'architecture hideuse. Un plat délicieux servi dans une assiette de réfectoire lui coupe l'appétit ; un visage – et un titre – de prince, s'ils sont juchés sur un corps disharmonieux, l'éloignent à tout jamais de leur propriétaire et partant, de son amour. Et, une anatomie, une voix jugées « laides » la choquent davantage que la maladresse d'une parole (pourtant, la critique ou la désapprobation l'ébranlent, la déséquilibrent).

La femme Balance et sa santé

Ses reins et ses vertèbres lombaires sont ses points faibles. Elle doit les surveiller : boire beaucoup d'eau, apprendre des méthodes de relaxation musculaire et se détendre. La danse, le yoga, la natation et la musique (le piano plus particulièrement) ont un effet magique sur sa vitalité. Son état physique est si tributaire de son entourage qu'elle est patraque tant qu'elle n'a pas quelqu'un – de préférence amoureux, conjoint, fiancé, ami ou complice – qui établisse avec elle un vrai dialogue, avec qui elle puisse communiquer d'une façon ou d'une autre.

Elle aime partager un mets, participer à des loisirs, concerter ses menus ou ses régimes avec des êtres. Tout plutôt que la solitude, pour elle mère de toutes les affections et afflictions.

Elle aurait tendance à être raisonnable en tout, mesurée, équilibrée, modérée ; mais soudain, elle déborde son programme et se lance dans une folie (plutôt par amour, d'ailleurs), pour prouver qu'elle peut avaler la moitié du gâteau au chocolat, ou boire la moitié de la bouteille de champagne, pour éviter à celui qu'elle aime de rouler sous la table ; et là, c'est la catastrophe. Elle passe une semaine avec l'estomac au bord des lèvres.

A elle comme à l'homme du signe, il faut recommander des remèdes de jouvence doux, comme la thalassothérapie, les médecines naturelles, les plantes, l'aromathérapie (les odeurs jouent un rôle essentiel dans son alchimie intérieure), l'homéopathie et l'acupuncture.

Ce qu'il faut faire
pour séduire et garder une femme Balance

- Moduler les inflexions de votre voix, même dans les instants où vous êtes furieux contre elle : les cris, les manifestations vocales la bouleversent, on ne le dira jamais assez.
- Vous astreindre à être bien habillé, même pour traîner chez vous un dimanche, rasé de frais, les cheveux propres et l'haleine chlorophyllée.
- Faire poser des doubles vitrages dans votre appartement (si vous êtes citadin) avant de l'y installer.
- Lui dire tous les jours combien vous la trouvez belle, élégante, bien faite et sexy.
- Fêter l'anniversaire de votre rencontre, celui où vous vous êtes pour la première fois évadés en week-end, et celui où vous vous êtes mariés. Accessoirement, l'anniversaire de sa naissance.
- Si vous avez un cadeau à lui faire, lui offrir des fleurs plutôt qu'un bijou, et un parfum plutôt qu'une robe de grand couturier. Si vous tenez vraiment à lui manifester votre amour avec splendeur, invitez-la une fin de semaine en Italie ou en Irlande, même si c'est chez l'habitant. Elle préférera toujours les dépenses qui vous réunissent.
- Pratiquer – régulièrement – au moins un sport avec elle ; et, de toute façon, l'encourager à suivre ses cours de yoga, de danse, ses leçons d'escrime ou de patins à glace : l'y accompagner au besoin.
- Solliciter son avis pour tout, même si vous ne le suivez pas : aussi bien en ce qui concerne votre couple, le menu des invités, vos enfants, que ce qui touche à votre carrière. Elle se nourrit de ces échanges avec vous, pour elle ce sont des desserts.

- L'aider dans toutes ses démarches pour instaurer plus de justice, plus d'humanité, plus de démocratie, plus de générosité dans le monde.

Sarah Bernhardt

La petite fille Balance

Très tôt, elle se rend compte de la flagrante injustice du monde. Et cela la bouleverse.

Elle a beau entendre ses censeurs autour d'elle soutenir que c'est la vie, qu'on ne peut rien y faire, elle n'en croit pas un mot. Alors, plutôt que de la laisser s'abîmer dans la souffrance, inscrivez-la chez les scouts, donnez-lui une instruction religieuse, ou apprenez-lui à soigner les bêtes, à tricoter, coudre, peindre, réaliser des objets d'artisanat ou bricoler : elle utilisera ces connaissances pour ceux qui appellent sa compassion.

Margot Kidder

L'autre chose dont elle a vraiment besoin pour corriger son tempérament angoissé, c'est de beauté. Constituez-lui des cassettes avec des morceaux classiques (Beethoven, Mozart, Scarlatti, Bach, Chopin), faites-lui sa petite bibliothèque de beaux livres sur la peinture, ou, mieux encore, entraînez-la dans les musées.

Elle aime particulièrement tout ce qui touche aux arts et traditions populaires, aux costumes, aux bijoux et aux tapisseries.

Enfin, elle aime et a besoin de sport : gymnastique ou tennis, danse ou acrobatie, vélo, natation, voile, athlétisme, plongée, tout lui plaît et contribue à cet équilibre intérieur qu'elle recherche tant.

Les métiers qui l'attirent sont ceux où l'échange avec autrui prédomine. Elle a un besoin vital d'être aimée du plus grand nombre de gens possible. Vous pouvez l'orienter vers les formations artistiques (danse, théâtre, musique) où elle sera en contact avec le public ; les métiers d'information et de communication (journalisme, relations publiques) ; les métiers de justice (droit, sciences juridiques) ; les métiers de psychologie et de psychanalyse, où elle excelle.

Ce qu'il faut faire pour être aimé de la petite fille Balance

- Lui faire entendre et apprendre de la musique ou du chant.
- L'habiller avec raffinement dès ses premiers pas à l'école.
- Lui enseigner la persévérance.
- Lui apprendre à décider.
- L'emmener voir des expositions, les parcs floraux, les lieux de beauté.

Franz Liszt

Les héros
de la Balance

Sami Frey, Scott Fitzgerald, Catherine Hermary-Vieille, Yves Montand, Franz Liszt, Oscar Wilde, Marie Laforêt, Choderlos de Laclos, Gandhi, Verdi, Lanza del Vasto, Georges Brassens, Diderot, Brigitte Bardot, Jeane Manson, Cervantès, Aragon : tous sont nés sous le signe complice et altruiste de la Balance, et mènent des croisades contre les injustices, sociales ou individuelles. Soucieux du bien-être des autres, épris de justice, ils font de grands avocats, des juges accomplis, des médiateurs et des conciliateurs de grand talent. Ils se chargent aussi de réhabiliter des causes ou des personnes maltraitées par le monde, ainsi, Brigitte Bardot, qui sauve les animaux, Yves Montand, qui œuvra pour la restauration de la justice dans les pays de l'Est, ou, plus loin de nous, Verdi qui se consacra à l'épanouissement de la démocratie dans son pays. Courtois, doués pour les arts, la littérature et le sport, ils font aussi de véritables artistes d'intérieur, des décorateurs et des poètes.

Oscar Wilde

Diderot,
l'encyclopédiste

Diderot fut un phénomène dans l'art de confronter puis de réconcilier les contraires. « Diderot, c'est le paradoxe », dira de lui Nisard. Quoi de plus caractéristique des natifs de la Balance que cette ambivalence ? En effet, son existence et son œuvre ne cessèrent d'osciller entre des extrêmes : après des études de théologie, il fut ordonné prêtre. Mais, captivé par la vie parisienne, il renonça à ses vœux perpétuels, épousa, trop jeune, une demoiselle qui ne lui convenait pas. De cette union naquit Angélique, qui éclaira sa vie d'homme malheureux en ménage. Très vite, il se mit à écrire la fameuse *Encyclopédie* avec d'Alembert, qui l'occupa nuit et jour pendant 19 ans. Parallèlement à cette tâche gigantesque, il commença par exposer ses penchants théistes, dans deux ouvrages (*Pensées philosophiques* et *Les Bijoux insiscrets*), pour ensuite, se raviser. Sa *Lettre sur les aveugles* suscita un tollé, dans le monde clérical, et le fit emprisonner à Vincennes. Il se brouilla également avec son propre frère, prêtre, qu'il trouvait confit en religion. Les paradoxes ne s'arrêtent pas là. Il menait une vie assez libre, et ne se cachait pas d'avoir des faveurs – en vérité, les maîtresses se succédèrent jusqu'à Sophie Volland, qui lui inspira un amour fidèle (et à qui il écrivit beaucoup), mais il veillait jalousement à ce que sa femme restât confinée au foyer, à régler les problèmes domestiques. Il estimait également que la nature de l'homme était fondamentalement bonne et bienfaisante, qu'elle l'inclinait au bien, mais il prônait une éducation et des principes sévères, ainsi que des lois qui punissent les «méchants». Pour lui, il n'y avait pas de vice ou de vertu, mais une disposition à la bienfaisance ou à la malfaisance. Ses paradoxes, ses mondanités, la protection dont il jouissait (notamment de Catherine II de Russie, à qui il rendit visite, et qui l'encouragea pour la rédaction de son œuvre), le succès d'ouvrages tels que *La Religieuse*, *Jacques le Fataliste*, *Le Neveu de Rameau*, contribuèrent à en faire l'une des figures les plus captivantes et contradictoires de ce XVIIIe siècle. Bien marqué par son signe : Vénus pour le séducteur des esprits et l'enjôleur, Saturne pour le travailleur acharné.

Denis Diderot

Alain-Fournier, le Grand Meaulnes

Avec le Soleil Balance, l'ascendant Vierge et la Lune en Sagittaire, Alain-Fournier fut dominé par Saturne et Jupiter : il passa sa (courte) vie en quête d'un amour idéal, idéalisé, impossible. En effet, Uranus collé au Soleil rend cette quête absolue, intransigeante. Comme le dit si justement Marguerite Yourcenar, ces aspirations à l'être idéal révèlent « un amour de Dieu qui se trompe d'objet ». Nous devons son magistral roman, *Le Grand Meaulnes*, à une femme, Yvonne, qui lui apparut, en haut des marches du Grand Palais, et dont il tomba fou amoureux. Elle lui sourit, et se détourna. Cette femme représentait tout ce qu'il aimait. L'amour (le coup de foudre, même) qu'il ressentit pour cette créature inaccessible fut si violent, il le plongea dans de tels affres d'attente et d'espoir, puis dans de tels abîmes d'angoisse, qu'il fut, en quelque sorte, forcé de l'écrire, pour en exorciser la puissance, en conjurer la dangereuse emprise. Pour un tempérament aussi absolu, aussi intransigeant, la douleur d'être séparé d'elle devenait presque intolérable. Il l'écrivit à l'un de ses proches : « Rien ne me distrait de mon angoisse. Si cela devait durer, je ne pourrais supporter longtemps ce poids du monde entier sur le cœur.

Quelque chose désespérément me réclame, et toutes les routes de la terre m'en séparent. » Il s'agissait d'Yvonne, la divine inconnue aperçue comme en rêve, en haut des marches du Palais. Il fallait que toute cette souffrance, elle l'expiât. Ce qu'elle fit, symboliquement dans son livre : elle mourut après avoir donné naissance à leur fille, tandis que Meaulnes était reparti. Justice était rendue, par chef-d'œuvre interposé.

Verdi, le lyrique

Avec le soleil en Balance, la Lune en Bélier et l'ascendant en Gémeaux, Giuseppe Verdi se trouvait sous une dominante saturnienne, par la Lune en Balance : ceci lui permettait de prendre des décisions et de s'y tenir, ce qui eût été impossible au vu du trio Vénus, Mercure, Mars qui ont, par ailleurs, la gouverne de son ciel natal. Il allait, effectivement, être soumis à des situations où son impulsivité martienne pouvait blesser et empêcher de se manifester l'exquise douceur de la Balance, son implication sociale et « justicière ». En outre, l'ascendant Gémeaux divise l'être intérieur ; il met les natifs dans l'obligation de choisir entre deux situations, deux amours, deux pays ou deux vies très distinctes. Or, c'est ce qui se produisit dans son existence : ayant été « élu » maître de chapelle dans une petite ville paisible, Busseto, où il exerçait aussi les fonctions de mari et de père, il fut soudain appelé à prendre des responsabilités importantes au théâtre de Milan. Aussitôt après, il dut s'il allait s'engager dans la lutte pour la démocratie ou se confiner dans son art. Son tempérament généreux, son impérieux sens de la justice et la liberté eurent raison de ses hésitations. Il le fit, et cela lui valut d'être élu, par la suite, au parlement. Encensé par les patriotes italiens, il apparut aussi à toute l'Europe comme une noble et belle figure du libéralisme. Sur le plan amoureux, également, cet homme fut confronté à des choix cruciaux. Lorsqu'il perdit ses deux fils puis son épouse, il eut quelques liaisons, et fut notamment divisé entre deux grandes dames, et deux grandes voix, l'une cantatrice célèbre, l'Appiani, l'autre, égérie de Donizetti, Giuseppina Strepponi. C'est cette dernière qui entra dans sa vie, et qu'il épousa, là encore, grâce à Saturne qui oblige à faire des choix : à sacrifier. Il eut toutefois le don très Balance de concilier des valeurs antinomiques. Il sut mener de front une admirable, prolifique et magistrale œuvre artistique (il est encore l'un des génies les plus universels de l'art lyrique), et une vie de paysan amoureux de sa terre natale, de propriétaire terrien cultivant ses vignes et ses vergers, élargissant son domaine, faisant construire de nouvelles fermes et jouissant de ces possessions sans culpabilité.

Giuseppe Verdi

Franklin D. Roosevelt

La Balance
et ses ascendants

Balance ascendant Bélier

Vénus et Mars alternent leurs influences. C'est l'amour de la beauté et l'amour de la justice qui régissent sa vie. Elle exerce une grande fascination sur ses semblables et attire à elle des personnalités très variées. Sa carrière s'oriente vers des professions où il peut se trouver en contact avec les autres (en relation avec le public donc) et les défendre, ou leur venir en aide, les sauver par le truchement de la parole ou des actes. On trouve des avocats, des juges, des médecins sous cette configuration. Egalement des kinésithérapeutes, des chirurgiens esthétiques, des psychologues. Ces Balances peuvent être sollicités par des métiers de service : hôtellerie, service ou fonction publics, ou encore, des métiers qui mettent les autres au contact de la beauté, de l'art, de l'esthétique. Enfin, des professions où s'exercent leur don pour le perfectionnement du corps : la danse, la natation, le plongeon, les arts martiaux avec une préférence pour les danses « martiales », la musculation, bref, ce qui embellit. Il apparaît comme un être élégant, très soigné. Une belle complexion, et de la prestance, car il veille à ne pas grossir ou perdre ses muscles. Il est attentif à ce qui pourrait déplaire à ses semblables, ce qui lui donne toujours quelque chose de conventionnel dans ses apparences. Il suit la mode, tout en optant pour un certain classicisme. Malgré son goût pour les excès, incompatible avec le sens de la mesure de la Balance, il parvient le plus souvent à rétablir l'équilibre : à la fois dans ses propos (et Dieu sait s'ils peuvent être impulsifs), dans ses actes (il est capable d'envoyer un chèque très substantiel à une organisation humanitaire ou à une famille dans le besoin, sans prévoir de quoi payer ses impôts ou sa note de téléphone, généralement assez élevée), dans ses entreprises (il aime entreprendre, surtout lorsqu'il est emballé par quelqu'un qui le convainc, en lui faisant miroiter l'idéal de sa vie, autrement dit : l'association) et jusqu'aux désordres dans sa santé, engendrés par des tensions psychologiques qu'il a du mal à extérioriser. Ou qu'il exprime soudain, avec trop de violence ! C'est un être décidément volontaire et sensible, impulsif mais attentionné, avide de plaire tout en refusant les compromis.

Ceux qui lui plaisent vraiment :

- Les Sagittaires ont l'optimisme, la flamme, le feu sacré qui réconfortent cette Balance oscillante. Trop décidée à telle période, trop indécise à telle autre. Selon que Vénus ou Mars sont privilégiés, dans ses astres (se reporter au chapitre : « Comment déterminer et interpréter la dominante de votre ciel de naissance sans aucun calcul »), il choisira une union sentimentale, voire un mariage avec ce signe ou une association professionnelle. En ce cas, le Sagittaire s'adjugera les cordons de la bourse, l'organisation matérielle et les contacts à l'étranger, tandis que notre Balance s'occupera de l'esthétique des lieux, de multiplier les communications et de faire parler de leurs créations dans le plus grand nombre de médias possible.

- Les Balances, qui ont les mêmes défauts et les mêmes qualités que lui. S'ils forment un couple, il sera enrichissant de s'entourer d'amis qui permettront aux époux de progresser, d'évoluer, de se dépasser. Non point dans l'effort (ô l'horrible mot, imprononçable, pour une Balance digne de son étoile) mais dans l'attention et la bienfaisance. C'est par amour de l'humanité qu'ils sortiront de leur coquille de cristal.

- Les Lions : ils ont la même prédilection pour la beauté, l'art, le confort (celui-ci étant, à ses yeux, un reflet de la beauté, une de ses facettes primordiales) et une certaine vision de l'harmonie. Pas à n'importe quel prix, naturellement. Le Lion n'est pas disposé à composer avec ses propres convictions, comme la Balance (à moins qu'il n'ait lui-même l'ascendant Balance, ce qui serait idéal pour la personne dont il est question), et il se préoccupe beaucoup moins du jugement d'autrui. Mais ils font une belle paire, ensemble.

Balance ascendant Taureau

C'est un vertige de myrrhe et de miel. Il répand une suave traînée de charme sensuel, d'attrait érotique, d'amour sous sa forme sublimée (la beauté, la justesse, l'harmonie) ou charnelle. Il semble avoir été balancé au monde pour faire subir à ses semblables les affres de la tentation. Tout, en lui, est appel sensuel, sensoriel, ludique. Tout demande à être caressé, cajolé, et tout en lui caresse : la voix, les gestes, les propos. C'est une œuvre vivante dédiée à Aphrodite. Les cheveux bougent dans la lumière, brillent et sont doux au toucher, les regards vous embrasent, la voix trouble, les paroles capturent. C'est de l'art consommé : l'art de se faire aimer. Très souvent, ces personnes se tournent vers des métiers narcissiques (mode, joaillerie, coiffure, esthétique, radio ou télévision, à cause de la voix, du don de parole que confère le Taureau) ou des métiers d'hôte ou d'accueil, qui demandent d'être toujours adaptés aux autres, vigilants et d'adopter des tenues qui confortent le goût incontestable du natif pour les vêtures et les accessoires de luxe. Sans tomber dans la facilité – bien que sa nature l'y incline –, cet être se dirige spontanément vers les domaines où s'expriment les plus hautes dispositions de l'homme lorsque les soucis matériels ont été résolus. A savoir : l'art (avec une prédilection pour le chant, le théâtre), les métiers d'argent, bijouterie, décoration, parfois la finance, la diplomatie, ou les loisirs, les distractions : les parcs, les ensembles hôteliers coûteux, les golfs, les lieux de plaisance ne se passent pas de lui. Il y crée une atmosphère de confort, de bonne entente entre les gens et d'harmonie. Sur le plan de sa santé, sa gourmandise pourrait l'amener à des ennuis de santé dus à des excès alimentaires ou, qui sait, de boisson ! Car il aime boire, lorsqu'il se trouve en bonne compagnie, et cela lui apporte beaucoup d'ennuis, du fait de la petite nature des Balances. Hors la modération et la mesure en tout, les Balances perdent facilement le sommeil, le moral ou leur joie de vivre. Ils doivent se rendre compte que leur vague à l'âme ou leurs perturbations nerveuses sont uniquement dus à des excès alimentaires.

Ceux qui lui plaisent vraiment :
- Les Capricornes. Leur aspect vaguement revêche, leur froideur ou leur exubérance (les deux étant la manifestation d'un même malaise relationnel) leur conviennent. Les Balances adorent arranger les choses, réparer les coupures de communications, rendre service à leur prochain. Quant aux Capricornes, ils apprécient la nature terrestre de cette Balance, son astucieuse débrouillardise qui lui permet de ne jamais dépendre des autres sur le plan matériel, même si elle le laisse croire. C'est un tandem haute sécurité. Voir, quand même, pour l'évolution des relations, l'ascendant dudit Capricorne. Il vaut mieux un ascendant aérien – Verseau ou Balance – ou un ascendant de feu.
- Les Sagittaires : ils partagent leurs appétits de choses terrestres, leur sens du confort, leur amour des êtres, des bêtes et de tout ce qui vit. Même si le Taureau donne une possessivité qui n'est pas du goût du Sagittaire, la Balance arrondit les angles. Modère ses instincts d'exclusivité, son besoin d'intimité amoureuse. Ou amicale. Le Sagittaire a grand besoin de se dépenser physiquement, et la Balance-Taureau goûte la nature.

Balance ascendant Gémeaux

Que d'aérienne, volatile souplesse. Que de diplomatie, d'humour, de virtuosité intellectuelle. On reste pantois devant un tel don d'intelligence, une telle force de persuasion, une telle sagacité, tant de perspicacité face à la complexité et à la variété de la nature humaine. Toutes les subtilités des Gémeaux se sont mises au service de l'accorte douceur de la Balance. Vénus et Mercure : un couple de bal rêvé. Mais l'action, ici, est plutôt de nature immatérielle : il s'agit d'action par la pensée, le verbe, le discours ou l'écrit. L'être répugne à se servir de son corps autrement que pour virevolter, danser, s'éclipser. Il est passé magicien dans l'art de faire croire qu'il est là sans être là. Il convainc les plus irréductibles par son savoir-faire, c'est pourquoi les professions du barreau lui tendent les bras. Mais dès qu'il s'agit de plaider une cause, de faire entendre raison à des molosses fervents de l'action dure, de faire transiger, modifier des sentences cruelles, notre prince des ondes est là. Etant agile de son corps, il sait se faufiler partout, répondre à ses plus féroces détracteurs sur le ton de l'humeur et de l'humour « obligé » ; il met en relation, intercepte, intervient, s'interpose et interroge, avec la même foi tranquille en son astuce et en la suggestibilité des hommes. C'est quelqu'un qui obtient ce qu'il désire. Paradoxalement, parce qu'il ne peut désirer longtemps et avec assez de ténacité la moindre chose : il suffit qu'une personne ou un but lui échappent longtemps pour qu'il s'en détache. Il est donc amené à ne désirer que ce qu'il peut obtenir vite. Et pour ce qu'il peut obtenir vite, il est capable de déployer une science exceptionnelle. Il est éloquent, vif, attentif aux autres, soucieux de leur bien-être. Il sait s'habiller de façon à masquer ses défauts, plutôt que de chercher à corriger tel ou tel point défectueux de son anatomie. Il va toujours vers les situations faciles, les métiers qui ne demandent pas trop d'efforts, les familles unies auxquelles il apporte joie, gaieté, conciliation. Partout où il passe, il sait capter, dans un climat, entre des gens, dans un projet ou une situation, les points qui pourraient devenir litigieux ; et c'est par sa faculté de désarmer qu'il peut être tenté de se lancer dans la politique.

Ceux qui lui plaisent vraiment :
Il y en a beaucoup ! C'est un cœur tendre.
- Les Sagittaires en priorité : il y a une complicité instinctive entre ces deux-là, une même joie, un même goût profond pour les autres.
- Les Scorpions, car ils ont le pouvoir de leur résister tout en comblant leur sensualité.
- Les Taureaux, qui les rassurent, leur donnent un rayonnement et un tonus inexplicables, presque magiques.

Balance ascendant Cancer

A l'origine, ce sont des amoureux de l'amour qui passent à côté de leurs bien-aimés, faute d'avoir cherché à se manifester. A force de redouter de déranger, de froisser l'autre, ils ne tentent rien. Si : ils essaient quand même de s'analyser. Soit par des méthodes empiriques, puisées dans des livres, soit par des méthodes ayant fait leurs preuves et qu'ils appliquent chez eux, avec régularité, soit encore par du bénévolat humanitaire et des tentatives de psychothérapies – qui leur réussissent particulièrement bien, il faut le reconnaître. L'on a affaire à des personnes rares, qu'on se le dise. Rares en qualité humaine, en don de soi, en sens du partage. Si sensibles au déroulement des choses, si percluses de scrupules, si respectueuses des autres, si sensibles à leurs malheurs, si réceptives à la souffrance humaine animale ou végétale qu'elles se privent sans cesse de bonheur pour subvenir au sort d'autrui. « Par délicatesse, j'ai perdu ma vie », a dit Rimbaud. Ces mots eussent pu être prononcés par une Balance-Cancer. S'ils sont gourmands de nature, ils parviennent très vite à contrôler leurs appétits – ah, les légendaires contrôles et mesures de la Balance ! De la même façon qu'ils font taire leurs revendications égoïstes, leurs aspirations personnelles, leur paresse naturelle. Même si, en « grandissant », ils acquièrent un goût de l'intimité qui les rend sauvages, ils ne perdent jamais cette profonde générosité qui les fait passer, aux yeux de leurs contemporains, pour faibles. Ils sont très doués, ce qui leur permet de réussir les études qui les attirent... Ils obtiennent facilement bourses, allocations ou prêts bancaires. Il y a une je-ne-sais quelle grâce en eux qui fait accepter leurs désirs. Peut-être parce qu'ils sont si modestes. Peu de personnes osent leur faire subir des rebuffades, les rejeter, du fait de leur sensibilité, de leur douceur, de leur besoin d'être approuvés. (Ils n'ont rien du savoir-être accommodant de la Balance/Gémeaux !) La plupart du temps, ils réussissent dans la branche qu'ils ont choisie; le plus dur, pour eux, étant, premièrement, d'acquérir un minimum de confiance en eux, deuxièmement, de décider lequel de leurs talents ils vont exploiter. Souvent les professions liées à l'art, où l'imagination joue un rôle important, les attirent. Ils oscillent entre la recherche de contacts avec les autres et le besoin de se replier sur eux-mêmes, de se réfugier dans le sommeil ou la lecture, tant leurs contemporains perturbent leur âme vulnérable.

Ceux qui leur plaisent vraiment :
- Les Poissons, avec leur imprécision, leur nature floue, leur poésie romanesque qui confortent leurs propres penchants à l'irréalité.
- Les Taureaux, qui les rassurent et les couvrent de cadeaux.

Balance ascendant Lion

Ici, la confiance en soi est totalement liée à l'amour que lui voue le conjoint. Cette Balance est capable de se dépasser, d'accomplir un Idéal, de réussir des exploits auxquels personne ne se serait attendu, simplement parce que son cher aimé (aimée) l'en a cru(e) capable. Elle peut être extrêmement séduisante, attirer les regards dans la rue, créer un mouvement d'attraction autour d'elle : on se retourne sur sa sihouette même en plein embouteillage. Elle provoque cette magie à la seule condition de se savoir aimée, approuvée, admirée, du seul être qui compte pour la Balance : son amour. Mais fasse le hasard qu'elle choisisse un(e) Capricorne ou un(e) Scorpion, pour auteur de ses futurs enfants. Ces deux-là ont la critique acerbe, l'œil virulent, l'âme tendue vers la rupture – à moins qu'une démarche psychothérapeutique ne soit intervenue pour adoucir, infléchir cette tendance – et l'on verra notre Balance-Lion s'étioler, au fil des ans. Oh, cela restera imperceptible pour les tiers ; les plus proches membres de la famille observeront des cernes sous les yeux, de plus en plus souvent, une absence dans la présence, une propension à se replier sur soi, à souffrir de migraines, à moins goûter la compagnie des autres. Pour cet être de lumière et d'amour, on ne saurait trop recommander un choix affectif rigoureux. Il sera plus sage de remettre les noces, de les retarder ou de les annuler si une quelconque restriction, une angoisse diffuse, une hésitation la tourmentaient.

Autant pour l'élaboration de sa profession, ses amis (généralements brillants), sa demeure, elle ne rencontre aucune difficulté, sait choisir sans hésiter ce qui sera bon pour elle, autant dans le domaine affectif, elle est faillible et vulnérable. On ne saurait trop recommander une étude comparative soigneuse, attentive, des thèmes astrologiques ou des écritures, ou l'aide d'un psychologue, avant de se lancer dans la grande aventure du voyage amoureux.

Ceux qui lui plaisent :
- Les Scorpions. Ils exercent un attrait érotique auquel notre Balance-Lion n'est pas insensible. Ils ont une force qu'elle admire parce qu'elle ne l'a pas : celle de résister aux avis des autres, de poursuivre leurs buts quels que soient les dangers, périls, échecs, auxquels ils s'exposent. Celle de se moquer des lois, de s'attaquer aux grandes puissances que représentent l'argent, la respectabilité, la noblesse de sang, les privilèges politiques et économiques et les conventions morales. Foin des convenances, des traditions, de la bienséance, le Scorpion vient tout bouleverser par sa sensualité, ses torrides désirs, son égotisme narcissique, son attachement à la vertu cathartique de la mort, symbolique ou réelle, en vue des renaissances. Très douloureux pour la Balance-Lion, dont le destin consiste à s'intégrer aux normes, aux valeurs établies, à respecter les castes, les hiérarchies, les règles, les nomenclatures.
- Les Capricornes : eux, ils blessent par leurs « vérités » qu'ils assènent comme des réalités universelles, reconnues à part entière. Ils n'essaient pas d'énoncer lesdites réalités avec nuances, ni de relativiser leurs propos, ni même de rendre au bienveillant hasard ce qui lui revient : la survenue d'imprévus, d'impromptus, de changements, qui modifient les situations, transforment les individus, influencent les événements et, par là-même, rendent caduques leurs assertions. Non. Eux décident qu'il en est ainsi, et qu'il en sera ainsi jusqu'à la fin des temps, puisque le temps, c'est bien prouvé, n'existe pas. Donc, tel individu est vénal, tel autre est atteint de sclérose des artères, le troisième est sans cœur, le dernier entrevu ne pense qu'à réussir et pour couronner la tristesse de ce monde, personne ne s'en aperçoit car les gens vivent dans l'illusion.

Balance ascendant Vierge

Ici, toutes les qualités de la Balance sont exaltées. Sa réserve et sa mesure sont compensées par une certaine bonté. Sa beauté par de l'humilité. Sa grâce et son éclat par une vraie modestie. Son côté «bête d'amour» par de l'intelligence, de la culture, du bagou. Moins d'amateurisme : la rigueur virginienne veille. Son tempérament élitiste, esthète, féru d'un léger clinquant (dans les affections, les émotions) est corrigé par son anxiété. Plus vulnérable que la Balance pure ou saturnienne, l'ascendant Vierge est aussi moins influençable et poursuit ses buts avec plus d'acharnement. C'est quelqu'un qui réussit dans un métier de contacts, où les échanges intellectuels, la littérature, la poésie, jouent un grand rôle. Si elle est plus sage, elle est aussi plus complexée, plus critique et moins tolérante. Elle s'érige volontiers en juge – partial – ou en justicier – tout aussi partial –de ses contemporains. Si elle s'intéresse aux sciences parallèles, aux métiers paramédicaux, aux règles de la diététique, et aux disciplines orientales, elle reste assez pragmatique et concrète dans ses objectifs. Sa destinée s'oriente vers une réussite matérielle intégrant raisonnablement ses idéaux de justice et de démocratie. Sur le plan de la santé, cette Balance est plus fatigable, plus nerveuse, qu'une Balance-Cancer, Poissons ou Taureau, mais elle a aussi plus d'endurance. Son idéal d'amour repose sur quelques fers de lance : objectivité, pérennité, concertation. Elle admet trop la faillibilité humaine pour exiger de son (sa) bien-aimé(e) la fidélité, la vérité, la pureté des intentions et des sentiments. Mais elle a besoin de dialogue avec lui/elle. On peut lui celer quelques forfaits, s'éloigner d'elle, la priver de sexe et d'effusions tendres, mais pas cesser de lui parler, de l'écouter. Elle a besoin d'attention, d'échange, de dialogue, de communication.

Ceux qui lui plaisent vraiment :
- Les Taureaux, régis par Vénus, comme la Balance ils diffusent un bonheur de vivre, un goût de la terre, des bêtes et des plantes, un appétit de la chair et de la chère à laquelle la Balance-Vierge est très sensible. Ils cultivent leurs affinités complémentaires, sans heurts

et sans conflits. Souvent, leurs forces réunies les incitent à réaliser une œuvre commune, qu'il s'agisse d'un cabinet médical, d'une association pour sauver les forêts en péril, d'un atelier de peinture sur soie, ou d'une compagnie de goûteurs de vin. Ils font beau et bon ménage, avec une farandole de petits rejetons

- Les Lions : ce sont des esthètes, comme elles. Leurs élans généreux, leur noblesse de sentiments, leur assurance et leur esprit d'entreprise les stimulent. De plus, ils les entraînent vers un idéal – qui n'exclut pas des réalisations concrètes, par exemple, dans l'architecture, qu'il s'agisse d'une propriété familiale, d'un bâtiment en ruines, de la décoration d'un presbytère. L'idéal se tourne aussi vers une aide humanitaire, écologique, métaphysique, des luttes pour plus de justice sociale, plus de poésie et de musique dans les écoles, plus de peinture et de compassion dans les hôpitaux. L'amour est souvent pour les Lions le lieu de fusion et de matérialisation d'un amour plus vaste. C'est pourquoi il subjugue la Balance encore empêtrée dans son pas de deux.

- Les Sagittaires : ces aventuriers au tempérament de feu, ces ardents défenseurs des droits de l'homme, ces puissants magnats de la foi, serviteurs de la religion, épris d'espaces, de mers, de cimes et d'absolu trouvent en la Balance-Vierge l'assise prosaïque qui leur manque. Quant à elle, sa nature peu exubérante l'incite à suivre ce fringant animal sans hésiter.

Balance ascendant Balance

De prime abord, on se croit tombé dans un précipice. Tant de beauté, tant de charme, tant d'attention et d'écoute séductrice, est-ce bien humain ? Cette Balance vous foudroie par son allure, son savoir-être, son aisance. Tout est réussi : sa prestance. Sa vêture. Sa chevelure. Et la façon pénétrante dont elle vous observe, vous écoute, prévient le moindre de vos murmures. Comme Philippe Noiret, par exemple. Elle n'est pas nécessairement distinguée, mais elle a un éclat qui capte tous les regards. Pas volubile, non plus : sachant juste exprimer ce qui en vaut la peine, et écouter ce qui est passionnant à enregistrer. Adepte de l'échange mesuré. Sa conversation n'est pas brillante comme celle d'une Vierge, d'un Gémeaux, d'un Capricorne ou d'un Scorpion, mais elle a une présence intense, elle sent les courants, les intentions, les non-dit et les révèle au grand jour. Elle sait faire surgir la vérité chez les autres, dévoiler les êtres à eux-mêmes, les comprendre. Son rôle et son métier tournent souvent autour de ces concepts : comprendre, percevoir, rétablir (la vérité, la beauté, la justice, l'équilibre) et justifier. C'est pourquoi on trouve ces Balances dans les rangs de la magistrature, de la commission des lois, des juges, des ordres. Elles font souvent dans les professions esthétiques, médicales, chirurgicales, paramédicales. La psychanalyse, la psychothérapie et toutes les formes de connaissance de soi leur conviennent, grâce à cette faculté d'écoute. Ou dans l'art, autre moyen de « réparer » le réel. Leur vie amoureuse se divise en plusieurs parties d'intensité différente. Il y a les flirts, les amitiés amoureuses, les idylles d'un soir, les liaisons de parcours variables et enfin, les unions légales. Toute leur existence, jusqu'à un âge avancé, ces Balances convolent, en pensée ou en vrai ; elles sont rares celles qui, comme Brassens, font l'honneur de ne pas demander leur main à leur compagne (ou compagnon) !

Ceux qui lui plaisent vraiment :

- Le Scorpion, dont l'énergie vitale est en grande partie utilisée par la séduction. Elle est attirée par son magnétisme animal, lui par sa froideur minérale. Ils font souvent route ensemble, mais sous ses dehors de cristal, la Balance est plus forte que le Scorpion, moins émotionnelle, moins angoissée, plus sociale. Les frictions jaillissent : le Scorpion, tourmenté, vit en reclus. Il fraye avaricieusement et sélectivement avec ses semblables. La Balance, elle, apprécie et savoure les gens, elle se plaît – superficiellement – avec tout le monde. Leur accord repose sur une grande entente physique et un projet de carrière où ils s'entraident sans se faire concurrence..

- Le Sagittaire : son goût de l'aventure, son audace, son courage. Il est si intrépide. Rien ne l'impressionne, pas même le parterre d'âmes transies qui baisent chacun des pas de la Balance, en attendant qu'elle soit libre. Le Sagittaire contemple le spectacle mais ne se compare pas aux prétendants (tes). Son assurance balaie d'un grand souffle les hésitations, reculs, petits pas de son élu(e), éteint les braises qu'entretient et attise de tous côtés cette ardente amoureuse. Ils voyagent beaucoup et s'expatrient ensemble.

- Le Capricorne. C'est une alliance étrange, en or blanc inaltérable. Celui-ci est si austère, celle-là si magique. Ils se rencontrent tard, conjuguent leur ambition vorace, et parfois, ils quêtent les mêmes valeurs : justice, vérité, esthétique, pour la Balance, hygiène, métaphysique et politique pour le Capricorne.

Balance ascendant Scorpion

Cette Balance va être suavement détournée de sa vocation vénusienne (charme, douceur, sérénité, humanisme et don de soi), par le Pluton dominateur du Scorpion, qui transmute les énergies positives de Vénus en forces « dévoratrices » – aidé, en cela, par Saturne, le cogouverneur de la Balance. Cette créature va donc apparaître plutôt comme une plutonienne anxieuse, avec un goût mystique de l'étude, du secret, du retrait. Son attrait peut s'orienter vers des personnalités complexes, tourmenteuses, ayant une sensualité profonde et captatrice. Elle vivra alors l'amour comme une épreuve expiatoire, une douloureuse passion jamais totalement assouvie – ou impossible à assouvir ? Elle utilise sa beauté (plus sombre, plus discrète, plus ardente que la Balance vénusienne) pour vriller dans le corps et l'âme de son prochain un stéthoscope inquisiteur, ultra-chercheur. Elle veut comprendre et maîtriser, sinon connaître, l'intimité des êtres, la face cachée des événements, les composants gazeux de Jupiter, le mystère de la chimie sexuelle, la signification des lettres hébraïques, du Tarot et des molécules. Et surtout, elle cherche. Elle cherche ce qui donnerait sens à sa vie. C'est un être en quête de sa vocation – elle en a forcément une, même si elle ne l'a pas encore trouvée –, une vocation qui la conduit à la musique, au cinéma, à la sculpture, au théâtre, à la peinture. Elle peut faire du saut en parachute, exécuter des loopings dangereux dans son bimoteur, traverser le désert saharien sur une moto (seule), piloter des formules 1, ou s'évader en Islande pour apprendre le langage dauphin. Si elle renonce à sa vocation, c'est par amour. Mais elle reste toujours insatisfaite, bravant le danger, côtoyant la souffrance, vivant des émotions douloureuses, incompréhensibles pour ceux qui l'observent de l'extérieur.

Ceux qui l'attirent vraiment :
- Les Taureaux. Il y a, au premier regard, un attrait profond entre ces deux bêtes-là. Ils ont un magnétisme, une puissance séductrice, une sensibilité artistique partagée. En outre, ils aiment manger les mêmes choses et ils ont souvent des phobies (alimentaires). S'ils communiquent très bien dans l'intimité charnelle, ils ont souvent les mêmes réactions instinctives, même si l'une a parfois plus de raffinement et d'exclusives que l'autre.
- Les Poissons. Curieusement entre ce signe et l'ascendant d'eau, des affinités de grande qualité s'établissent. Certes, cela ne va pas sans heurts, notamment sur le plan des engagements professionnels et de la communication verbale. Il peut exister un constant décalage entre ce que la Balance dit éprouver et ce qu'elle éprouve vraiment, du fait de son ascendant. Naturellement, cette formule est encore plus réussie au cas où le Poissons du couple a l'ascendant en signe d'air ou de feu.

Balance ascendant Sagittaire

L'une des combinaisons les plus réussies du Zodiaque. Le porteur de ce signe est une sorte de mascotte pour les astrologues, car ce sont deux signes considérés comme des facteurs de chance. Vénus et Jupiter sont les deux planètes gouvernantes de ce tandem – planètes dont on sait qu'elles sont radieuses. Saturne s'y associe, qui tempère et approfondit ce que ces deux planètes ont d'exubérant, de trop généreux, de trop donnant. Cela produit, en effet, des êtres chargés d'ions positifs, heureux, disposés au plaisir et au bonheur, soucieux des autres, serviables et enchanteurs. Ils naissent d'ailleurs souvent dans des conditions faciles et bienheureuses, en ayant été désirés et attendus (même si la richesse matérielle n'est pas au rendez-vous) ; et, à mesure qu'ils évoluent dans l'existence, la chance (puisqu'il faut l'appeler ainsi) se confirme. Il y a une heureuse adéquation entre ce que les natifs souhaitent et ce qu'ils obtiennent, la plupart du temps sans se donner beaucoup de mal. Non seulement ils grandissent dans un milieu qui favorise leur goût pour l'art et le sport, notamment la voile, l'équitation et les disciplines qui les font communier avec les forces de la nature, mais en outre, ils font un mariage d'amour, ils atteignent des buts situés bien au-delà de leurs espérances et ils réalisent des projets qu'ils croyaient utopiques. Bref, ils s'accomplissent et remplissent idéalement le contrat des astres avec leur créature.

Ceux qui l'attirent vraiment :
- Les Béliers. Ils forment un tandem terriblement ressemblant, fondé sur des affinités plutôt que sur des complémentarités ou des extrêmes (car ils s'attirent aussi !). Tous deux actifs, dépensiers, énergiques, sensibles à la psychologie des profondeurs, ils sont entourés d'une foule d'amis, de relations, auxquels ils ouvrent leur logis et leur cœur. Aucun des deux ne peut compter sur l'autre pour gérer raisonnablement un budget, ou rester longtemps au même endroit. Mais cette union est très harmonieuse et les enfants grandissent dans un climat de vrai amour complice.
- Les Verseaux, pour leur liberté d'esprit, leur intelligence, leur chaleureux rapports à autrui, leur désintéressement.

Balance ascendant Capricorne

Personnalité étrange. A la fois attirante – très belle, élégante – et froide. Pourtant, elle peut se montrer expansive, exubérante, même. Mais elle choisit très parcimonieusement ses amis car elle redoute qu'ils empiètent sur son intimité à deux, et sa quête exigeante d'elle-même. Une harmonie profonde se dégage de ce natif, quoiqu'il puisse paraître glacé. En fait, il se réserve de grands moments de solitude, de contemplation face à un paysage de montagne, des cimes (le goût capricornien des crêtes, des sommets, allié à l'amour de la Balance pour les espaces, les lieux immenses, qui lui fait rechercher aussi les mers, les déserts, les lieux d'intense luminosité, où sa spiritualité latente peut s'épanouir). La femme cultive son petit bout de terre – ou ses plantes d'appartement – avec la même expérience infaillible, longuement apprise, qu'elle affiche dans l'accomplissement de toute chose. On dirait une vieille âme dans un corps d'elfe, long, fin, presque immatériel. Les yeux vastes, très écartés de la base du nez s'inscrivent dans un visage long, émacié, aux pommettes saillantes (Buster Keaton, Marie Laforêt). Ce sont souvent des personnes sages à un âge où l'on est fou, et elles le demeurent. Leur vie amoureuse éclôt tard et se prolonge au-delà de la « vieillesse », car ces Balances paraissent jeunes toute leur vie et les Capricornes entretiennent par un ascétisme et une discipline athlétique leur silhouette d'étudiants. Il n'est pas rare de voir des Capricornes centenaires, et les Balances les suivent immédiatement, dans les statistiques astrales. Pourquoi ? D'abord parce qu'elles gardent la mesure en tout, boivent et mangent peu, consacrent beaucoup de temps à ceux qu'elles aiment, évitent de toutes leurs forces les conflits, les bagarres, les soucis, les chagrins. Ensuite parce que le jeûne et l'exercice les conservent fringantes. Les points sensibles qu'elles devront surveiller : leurs reins et leur ossature, sensible aux climats humides – en particulier, les genoux. Elles réussissent dans leur vie professionnelle (artistique, très souvent) et passent pour pieuses, ou mystiques, en tout cas... stoïques !

Ceux qui l'attirent vraiment :
- Le Cancer, car il comprend, respecte et même apprécie sa nature froide, distante, réservée. Il est aussi éperdu d'admiration devant son courage, physique et moral, sa détermination, sa volonté.
- Le Sagittaire, parce qu'il la stimule, lui donne confiance en elle, et l'oblige à entreprendre, à agir (ce que, toute seule, elle est incapable de faire).
- Les Gémeaux, pour leur nature ludique, insouciante, spirituelle, détachée des lourdeurs de ce monde. En échange, elle leur apporte leur stabilité, leur sens de l'engagement.

Balance ascendant Verseau

L'amour au sens spiritualisé et affectif du terme est la grande affaire de sa vie. Même s'il a le goût de plaire, de séduire, et d'effectuer le plus grand nombre d'expériences érotiques, il reste un être aux sentiments ardents, généreux, gratuits. C'est un artiste ou un scientifique (un chercheur), quelqu'un qui aime les gens : l'individu, le groupe, les jaunes, noirs ou rouges, et l'humanité dans tous ses états. Il peut être un simple militant syndical ou un diplomate, un homme ou une femme de parti, un écrivain ou un avocat, un sociologue, en lutte avec les gouvernements pour établir la démocratie, venir en aide aux plus défavorisés ou combattre le chômage ; il peut opter pour l'action indirecte, par communication, écriture, télévision interposée. Mais il ne perd jamais de vue sa quête fervente du grand amour, absolu, qui renverse les préjugés et détourne les fleuves de leur lit... S'il ne garde pas le silence sur les sujets qui lui tiennent à cœur – s'il milite pour une société plus juste, une plus équitable distribution des richesses –, si l'homme et son bien-être, sa sécurité, lui tiennent à cœur, il ne s'interdit pas pour autant de manifester sa désapprobation, quelles que soient les forces en présence. Il dit ce qu'il pense, il ne suit pas une trajectoire convenue. C'est pourquoi il fait partie de ceux qui sont chahutés par le destin, par des coups de chance et des coups de hasard prodigieux, grâce auxquels il se modifie souvent au cours de sa vie.

Ceux qui l'attirent vraiment :
- Les Gémeaux, avec leur verve, leur entregent, leur génie de la transmission et de l'interprétation.
- Les Béliers, qui attisent leur désir, leur donnent corps et réalité.
- Les Capricornes, qui les rassurent, les assagissent et donnent du poids, de la valeur à toutes leurs démarches.

Balance ascendant Poissons

Considérée par l'astrologie traditionnelle comme une personne d'une grande sensualité, elle est aussi artiste et puissamment réceptive aux courants (de toutes les civilisations, de toutes les époques, entre les êtres et les œuvres artistiques, etc.), comme aux influences. C'est un être à l'aura médiumnique, qui a de puissants pouvoirs « psy », même s'il les ignore : Neptune exalte les perceptions de Vénus, de sorte qu'il devine souvent les intentions cachées de ses interlocuteurs, pressent les événements – surtout pour son entourage – et entend ou perçoit des messages par voie télépathique. On lui prête d'infinies conquêtes, une destinée pleine de passion et de souffrance. Ce qui est sûr, c'est que cette Balance doit veiller à ne pas constamment se laisser absorber par les désirs des autres, qui la dévorent. Sa façon de se dévouer à une cause, de donner de son temps, de ses connaissances, de son attention, sans compter, peut lui faire perdre de vue ses propres objectifs : elle s'oriente avec bonheur vers la médecine, la psychanalyse, l'action politique ou la promotion des arts ; puisque son côté artiste en retrait, plus spectateur (trice) qu'acteur (actrice) la fait évoluer dans un monde de fantasmes. La destinée est imprégnée de ces deux courants : celui de l'inspiration et celui du cœur, des émotions. Elle est susceptible de changer brusquement, à la suite d'une rencontre amoureuse déterminante.

Ceux qui l'attirent vraiment :
- Les Lions, car leur grandeur magnanime, leur ferveur, leur confiance correspond et réconforte sa propre générosité. Ils sont semblables en de nombreux points: le besoin des autres, l'amitié désintéressée, la sensibilité artistique, la profondeur des attachements. Ils aiment la société et la communication. Ils aiment partager. Et ils sont complémentaires, en ceci : les Lions aiment briller, avec un certain narcissisme. Les Balance-Poissons aiment mettre en valeur l'autre, le faire briller, justement. C'est un heureux attelage.
- Les Sagittaires : ils stimulent les Balances (et particulièrement la Balance-Poissons) par son énergie enthousiaste, ses élans chaleureux, sa confiance en autrui, sa capacité de donner sans rien attendre en retour. Le côté Poissons peut susciter des doutes, des peurs irraisonnées, des comportements timorés que le Sagittaire chasse d'un geste, d'un regard. Il y a aussi une affinité de goûts, même si la Balance est plus raffinée, plus délicate que le gourmand Sagittaire, avide de tout, capable de réussir tout ce qu'il entreprend, avec sourire et optimisme.

Seconde partie

Comment déterminer
les grands axes de votre destinée
en recherchant
votre dominante astrale

La dominante d'un thème astral est la résultante d'un grand nombre de facteurs : le signe, l'ascendant, la position de la Lune, celle des planètes angulaires, ainsi que les aspects et les maisons. Ces éléments sont pris en compte par les bons astrologues au moment de dresser le thème de naissance d'un individu ou d'un événement.

Il ne pourrait être question, dans le cadre de cet ouvrage, de considérer toutes ces données. Aussi avons-nous choisi de synthétiser le calcul de la dominante, afin de permettre au néophyte, aussi bien qu'aux élèves plus avancés, de recueillir un maximum de renseignements sur eux-mêmes ou sur des personnes qui les intéressent, sans devoir opérer des calculs. Ces renseignements ne prétendent pas faire le tour de la personnalité d'un individu, ô combien multiple, riche et complexe ni lui indiquer ses actes et ses choix. Ceux-ci restent et resteront le fait de ses décisions, dictées par son libre arbitre. Mais ils vous permettent de déterminer votre dominante. Car votre personnalité est composée de trois éléments indissociables :

• votre moi social, votre représentation extérieure, désignés par le *Soleil*.

• votre moi intime, vos sentiments, vos émotions, la nature de votre sensibilité, indiqués par la *Lune*.

• votre désir d'évolution, la façon dont vous vous appropriez les expériences de la vie pour les transformer en savoir ; désir symbolisé par le lieu où se trouve votre *ascendant*.

Aussi, lorsque vous savez dans quel signe se trouvent votre soleil, votre lune et votre ascendant, vous avez la possibilité d'opérer par vous-même la première synthèse Savoir, en fonction de la planète dirigeante du signe, les tendances de votre personnalité. Car les planètes n'ont pas toutes la même valeur. Plus elles sont lentes, plus elles sont déterminantes pour votre personnalité.

Ainsi,

le Soleil maîtrise le Lion

la Lune maîtrise le Cancer

Mercure maîtrise les Gémeaux et la Vierge

Vénus maîtrise le Taureau et la Balance

Mars maîtrise le Bélier et le Scorpion

Jupiter maîtrise le Sagittaire

Saturne maîtrise le Capricorne et la Balance

Uranus maîtrise le Verseau

Neptune maîtrise les Poissons

Pluton maîtrise le Scorpion.

Or, si l'on devait classer les planètes par ordres de lenteur, nous aurions :

- Pluton, qui met 250 ans, environ, à parcourir les 12 signes du zodiaque
- Uranus, qui demande 80 ans pour faire ce parcours
- Saturne, qui prend 29 ans et demi pour faire le tour du zodiaque
- Neptune, qui le fait en 16 ans, environ
- Jupiter, qui le fait en 12 ans
- Mars, qui le fait en 2 ans
- Vénus, Mercure et le Soleil, qui le font en un an
- la Lune, qui le fait en 27 jours.

Donc, lorsque vous avez tapé sur Minitel le 3615 code GALA ou composé le 08.36.68.01.15 sur votre téléphone, vous avez appris, grâce à vos date, lieu et heure de naissance que, par exemple, le Soleil est en Capricorne, la Lune est en Taureau et l'ascendant est en Vierge.

Cela signifie que vous avez une dominante *saturnienne* pour votre vie sociale, votre carrière ; une dominante *vénusienne*, pour votre affectivité, votre rapport à la féminité, au foyer, à la création ; une dominante *mercurienne* en ce qui concerne votre évolution, vos aspirations et votre devenir. Muni (e) de ces trois informations, vous pourrez consulter les paragraphes « dominante saturnienne, vénusienne et mercurienne » selon les volets de votre personnalité que vous souhaitez voir développés (vie sociale, vie privée, avenir).

Pour une interprétation plus complète, vous pouvez vous reporter au chapitre « Les planètes dans les signes ».

Les signes de feu (reposant sur le chaud et sec) sont dits masculins. Le Bélier est un signe cardinal, le Lion est fixe, le Sagittaire est mutable. Ils donnent à la personnalité des valeurs dites masculines :

Droiture, franchise, générosité, intégrité, chaleur, activité, passion, enthousiasme, volonté. Ils aiment conquérir et dominer.

Les signes de terre sont féminins. Le Taureau est fixe, la Vierge est mutable, le Capricorne est cardinal. Ils confèrent le sens des réalités matérielles, le goût de l'effort, la ténacité, le besoin de confort, la sensualité. La personnalité est plus orientée vers un accomplissement concret et elle est plus réservée, plus méfiante, que les signes de feu ou d'air.

Les signes d'air sont masculins. Les Gémeaux sont mutables, la Balance est cardinale, le Verseau est fixe. Ils disposent l'individu à communiquer, apprendre, comprendre, connaître, savoir. Ils lui donnent une grande habileté intellectuelle, le besoin d'échanges, la faculté d'enseigner et d'acquérir des connaissances, le goût du changement, de la diversité, de très grandes facilités à s'adapter et le don des langues.

Les signes d'eau sont féminins. Le Cancer est cardinal, le Scorpion est fixe, les Poissons sont mutables. Leur caractéristique : réceptivité, émotion, sensibilité, tendresse, imagination, vulnérabilité affective, besoin de créer. Ils vivent beaucoup dans le rêve, quitte à façonner le réel selon leur vœux, concevoir des plans de vie, réaliser des bâtiments, des œuvres artistiques ou créer un foyer.

Dominante solaire

L'individu solaire se remarque au milieu d'un groupe : sa stature en impose. Il s'agit plus d'une attitude, d'une gestuelle harmonieuse, d'un comportement général de noblesse distante que de caractéristiques précises. Il peut être grand et bien bâti ou petit et malingre, aussi bien que de taille moyenne et corpulent : il est empreint de majesté. Bien qu'expansif, volontiers exubérant, il se montre assez réservé sur lui-même. A la limite de la froideur. Habitué sans doute à voir un ballet d'éléments graviter autour de sa lumière, il ne va pas vers les autres : ce sont les autres qui vont à lui. Après tout, ne distribue-t-il pas sa chaleur, son éclat, à qui le veut ?

Exactement comme l'astre solaire, le solarien n'éprouve nul besoin d'identifier le cortège d'individus que son rayonnement attire. Que l'on aille à lui suffit à sa grandeur. Il concède avec une certaine magnanimité ses compétences, son énergie et son temps, avec cette éthique du dialogue et de la concertation, que Platon ne désavouerait pas, sans paraître vraiment impliqué, émotivement, dans l'aide ou les conseils qu'il prodigue. On a souvent l'impression de se trouver devant quelqu'un qui est au-dessus du lot, sans pour autant en savoir plus sur les mondes qu'il habite.

C'est un être sans débordements, sans passion déraisonnable, un astre fixe, lumineux, indomptable.

Il n'est soumis à aucun état d'âme, remplissant sa mission comme un automate, souriant, affable, plein de tempérance, détaché. Il a quelque chose de lisse, simple et parfait, qui le rend surhumain. Son élégance de mise, de propos, de pensée, n'est jamais prise en défaut. On ne perçoit chez lui ni ces fissures ni ces points vulnérables qui rendent les neptuniens ou les plutoniens si attachants. Les solariens semblent n'avoir besoin de personne. Pourtant, ils ne pourraient accomplir leur mission de pacificateurs sans personne pour les admirer, les solliciter, les vénérer, les jalouser secrètement, les défier.

Ils paraissent exempts de délibérations intérieures, de tortures morales, d'inquiétude ou des doutes qui assaillent leurs contemporains. Infaillibles, impassibles, souverains, investis de la mission post-divine d'embellir le monde et les créations d'ici-bas, ils œuvrent sereinement, telle une île bercée par l'océan, dans l'agitation, la débâcle événementielle, les espoirs et les vaines ambitions de leurs semblables. Eux vivent le présent. Fixes, immuables. Etres de parole mais aussi d'écrit, de musique et de silence, de retraite ; hommes (ou femmes) du monde, capables de silence et de discours, ils visent l'harmonie absolue, contrôlant chaque instant de leur existence comme s'il s'agissait d'un chef-d'œuvre, exerçant leur empire sur eux-mêmes en toute circonstance. Les plus menus détails ont leur importance, à leurs yeux. Ils évitent de prendre des avions en période de vacances, de répondre à une réflexion désagréable, de conduire un jour de manifestation, ignorent les tentations et les excès qui assaillent le commun des mortels. Le solaire apprécie tout avec mesure, comme le vénusien, mais à la différence de celui-ci, il s'arrange pour ne dépendre de rien, de personne. Parfois, on se demande s'il aime vraiment. La réponse est : oui, il aime. Mais il aime pour l'autre et non pour lui. Ses affections comme ses choix sont immuables.

Et s'il est trahi, ce n'est pas lui que cela concerne.

Le solarien a un but : laisser de sa vie un sillage sans bavures et sans accrocs. Marguerite Yourcenar, réécrivant sur le tard une œuvre de jeunesse, afin de ne livrer à la postérité qu'un ensemble d'éléments parfaits, a fait un choix typiquement solarien.

En outre, pas de traces de compromis, de mensonges, d'infidélités à la parole donnée. Un engagement est un engagement : l'on ne revient pas dessus. Il se perfectionne dans tous les domaines, y compris dans l'art de vivre. Sa réussite traverse souvent les décennies, sans éclipse.

Un voyage du Soleil sur un point sensible de votre thème (cela se produit assez souvent dans l'année) vous rend heureux, vous donne l'énergie nécessaire pour mener à bien vos projets et vous réchauffe aussi bien matériellement, affectivement que spirituellement. Un aspect dit négatif dudit Soleil sur vos planètes en contredit les effets. Par exemple, il vous fatigue un peu, ou vous donne des difficultés à vous détendre, vous assoupit ou encore il vous retire de la confiance en vous. Comme vous en sentez instinctivement la nature contrariante, vous n'entreprenez pas de démarche importante sous ces auspices. De toute façon, ils durent peu. Les personnes avec lesquelles s'entendent les solaires sont légion. Mais ne vous y trompez pas : il s'agit de bienveillance froide, distante et toujours un peu détachée. Vous ne trouverez pas de ces manifestations fougueuses et ardentes d'amitié, comme chez des martiens ni de cette volupté aimante, attentive, que dispense le vénusien.

Ceux qui étonnent et conquièrent le solaire sont de nature ignée comme lui : les martiens, avec leur brûlante faconde, leur énergie, leur opiniâtre volonté et les jupitériens parce que leur chaleureuse bienveillance accroît le dynamisme du solaire et le réconforte dans tous ses choix.

Ceux qui l'attirent souvent sont :
- les uraniens, supérieurement doués, talentueux et anticonventionnels ;
- les plutoniens, parce que leur extrémisme excluant, leur élitisme, leur volonté de pouvoir, leur puissance secrète, suscitent son admiration ;
- les mercuriens pour leur intelligence et leur sens du contact.

Dominante lunaire

Le lunaire a des branchies à la place des neurones.
Il perçoit les ondes, courants vibratoires, les flux, reflux, influx et souffles, comme d'autres voient ou entendent ; les lunaires vivent à moitié dans leurs rêves, mi-fantasmes, mi-recréation de la réalité, pressentent une autre vérité qu'ils tentent de traduire par les moyens qui ont été mis à leur disposition : peinture, écriture, chant, théâtre, poésie, mode, artisanat populaire, musique.
Ils sont doux, secourables et très perméables aux influences extérieures. Un lunaire n'a pas de personnalité bien définie, pas de zone d'ombre, non plus.
Il s'adapte, la plupart du temps, à toutes les conditions de vie, d'où une propension à se maintenir dans un état un peu bohème, parfois nomade. Ses difficultés à composer avec le réel du monde occidental (avec ses valeurs d'efficacité, de productivité, de rendement, d'utilitarisme) le font rompre avec une certaine catégorie de gens et, partant, de fonctions.
S'il est capable de réussir dans le monde où il vit, c'est plus par ses créations qui répondent à un besoin du grand public que par sens de l'opportunité ou décision concertée. Inquiet de nature, il lui arrive très fréquemment d'apparaître comme un angoissé si son enfance a été douloureuse : il se remet difficilement de ses pre-

mières émotions, surmonte difficilement les tourments, obsessions, superstitions, paniques, phobies, cauchemars, qui sont le lot des natures trop réceptives. Leur sensibilité fragilise l'ego. On le voit souvent devenir célibataire – ou anachorète, ou homosexuel – après des tentatives de fusion amoureuse où il donnait trop ; il se met en marge de la société, se réfugie dans les arts divinatoires ou un univers enfantin où il peut donner libre cours à son imaginaire, à son innocence, à sa poétique immaturité.

Jean-Jacques Rousseau, Helena Blavatsky la théosophe, Jean Cocteau ou, plus contemporains, Dorothée la charmeuse d'enfants, Yves Saint Laurent sont des lunaires.

L'hyper-magnétisme capteur d'ondes dudit lunaire en fait un prophète, un guérisseur (d'âmes ou de corps), un détecteur de futur. Edgar Cayce en fut un exemple marquant.

Peu ou pas actif, il ne supporte que la discipline qu'il s'impose, dort beaucoup, pourrait, s'il n'y mettait le holà, manger et surtout boire plus que de raison. Cela peut d'ailleurs le conduire à la boulimie et à l'obésité. Trop sensible à la désapprobation de ses semblables, à leurs critiques, à leurs humeurs versatiles qu'il amplifie, au fond de ses viscères, à la puissance carrée, il trouve refuge dans le secret, la fuite, le travestissement partiel ou total de la réalité, l'érémitisme, le nomadisme, les drogues, la contemplation religieuse, le sommeil ou, à l'extrême, dans la mort, ne se consolant jamais d'avoir dû s'affranchir, se dégager de son foyer, voler de ses propres ailes.

Un transit lunaire se produit si souvent qu'on ne peut à proprement parler en déduire des effets précis. Ce que l'on peut noter, c'est la résurgence d'angoisses et de crises de dépression au moment de la pleine lune, une créativité peut-être plus fébrile aux périodes de lune croissante, et une sociabilité accrue à la lune décroissante.

Les personnalités qui épanouissent un lunaire sont :

- les jupitériens, qui lui apportent le soutien, le réconfort, la confiance et l'autorité dont il a besoin.

- les solaires, qui le réchauffent, le dynamisent, lui prodiguent l'énergie positive, l'impulsion vitale et le tonus qui lui font souvent défaut ;

- les plutoniens, qui l'aspirent dans leurs spirales à tendances destructrices, leurs gouffres d'angoisses, mais lui vouent, en contrepartie, une passion tenace, durable, profonde.

Ceux qu'il doit plutôt fuir sont :
- les neptuniens, qui accentuent sa propension à broyer du noir, le déstabilisent encore davantage par leur propre inconstance ;
- les mercuriens, trop habiles, opportunistes, parfois superficiels dans leurs attachements ;
- les saturniens, qui l'éteignent, le rendent stérile ou le paralysent dans une forme d'impuissance artistique, s'ils ne le démolissent pas par leur esprit critique et leur perfectionnisme excessif ;
- les martiens qui le brusquent, le violentent, le maltraitent par impatience activiste autant que par irrespect de sa nature contemplative.

Dominante mercurienne

Mercure rend habile au négoce, ouvert en affaires, opportun en amitié, communicatif en amour. Il fait les êtres de parler plus que d'agir, de médias et d'entregent, les intermédiaires et les porte-parole. Pourparlers, discussions, délibérations (à haute voix et en présence de tiers), brillants plaidoyers, discours virtuoses d'éloquence, interventions, conférences, stratégie commerciale, échange linguistique, toutes ces matières sont du domaine du mercurien.
S'il est facile de le reconnaître au sein d'une société traditionnelle, qui lui fait la part belle, il est moins aisé de l'identifier dans le cadre des missions, des opérations ponctuelles qui lui sont confiées : son adaptabilité extrême en fait un personnage étrange, aux multiples visages et fonctions. Capable de participer à la mise en place d'un village de vacances à l'étranger comme d'un centre pour enfants orphelins, thérapeute et troubadour, gourou d'une société secrète ou adepte de la philosophie du Nouvel Age, guide touristique ou interprète, conférencier spécialisé dans la transmission du message évangélique, il s'insère dans tous les milieux, s'accommode de toutes

les situations, du moment qu'il peut donner libre cours à sa marotte : reporter. Il « reporte » à peu près tout, avec art : mise en valeur, conditionnement et vente du sujet proposé.

C'est son talent le plus couramment reconnu : la virtuosité dans la communication des informations. Il va, d'instinct, vers les pays et les conditions où quelque chose a enrayé la communication et il restaure les circuits. Qu'il s'agisse de téléphonie, d'ingénierie, de voies ferroviaires, de ponts et chaussées, de séminaires de formation, d'enseignement, de débats philosophiques, d'expansion culturelle, de publicité ou de connaissance religieuse, le mercurien règne en maître. Incontesté, souverain. Car ses menus à la carte satisfont la chèvre et le chou, ménagent les susceptibilités, manœuvrent – subtilement – les consciences. Difficile, sinon impossible, de le mettre en colère, de le sortir de ses gonds ou de le blesser profondément, dans le cadre de sa mission. Il a trop d'humour, de sens de la répartie, de souplesse et... de sens du confort pour se laisser entamer par une rebuffade ou un geste de mauvaise humeur.

Sa devise : on verra bien. Le mercurien a horreur de s'engager dans quoi que ce soit. Il se veut disponible à toute intrusion inopinée du hasard, à toute occasion offerte, à toute proposition impromptue. C'est pourquoi le mercurien n'est pas la créature du grand amour mais plutôt celle de l'amitié (qui peut devenir amoureuse si l'on sait l'apprivoiser), ni des promesses tenues ni des déclarations suivies d'effets correspondants. Il faut prendre ses protestations d'amour et ses témoignages d'affection (pourtant sincères) pour des mots authentiques dans le contexte où ils s'inscrivent, au moment précis où ils sont prononcés. Mais ils ont une validité à durée limitée.

Pour garder un mercurien comme ami de cœur, il ne faut pas le prendre au mot. Il vit au jour le jour – à l'heure l'heure, même – oublie si facilement ce qu'il a dit comme ce qu'on lui a fait et si vite : comment lui en vouloir ?

Le mercurien est celui à qui l'on pardonne, sans très bien savoir quoi : il y a tant de petites infidélités, tant de mini mensonges, tant de dérisoires dissimulations, tant de trahisons volatiles, tant de babillages sans conséquences, dans sa vie. Lui-même ne sait plus très bien où il en est. Au demeurant, cela n'a guère d'importance étant donné sa nature vif-argent sans cesse sollicitée par de nouvelles connaissances, de nouveaux réseaux d'amis, des entreprises et démarches originales.

Un transit positif de Mercure sur une planète ou dans une zone sensible de votre ciel accroît votre charme et votre faconde, favorise toutes vos démarches, en particulier celles qui sont liées à la planète : études, conférences, articles, livres, messages, rencontres de personnes importantes pour votre métier ou vos affaires. Vous en éprouvez aussi les effets contraires en cas d'aspect conflictuel : contrariétés liées à vos démarches, reports de rendez-vous, retards dans les résultats escomptés, effets mineurs, certes, mais irritants.

Ceux que le mercurien porte dans son cœur sont :
- des mercuriens comme lui, pour des raisons faciles à deviner : même humour, même aérienne adaptabilité, même don d'empathie, même savoir-faire ;
- les saturniens, du fait de leurs qualités opposées : ils apprécient leur complémentarité et circonscrivent à merveille leurs incompatibilités. Leur sérieux, leur façon de tout prendre au tragique constituent une bonne contrepartie à la légèreté équivoque des mercuriens ;
- les jupitériens, qui l'entourent d'hospitalité, de chaleur, de confiance et... d'autorité ;
- les solaires, dont la froideur pleine de tempérance ne nuit pas à son agitation chronique.

Ceux qui le dérangent dans l'expression de sa nature :
- les vénusiens, trop séduisants, trop érotiques, trop attirants physiquement : ils l'empêchent de réfléchir, de tout contrôler par le raisonnement, la logique ;
- les plutoniens, trop passionnés, trop engagés, trop entiers, trop excessifs dans leur demande et émotivement éprouvants ;
- les martiens, pas assez ludiques, si impatients, ambitieux, qu'ils mettent à trop rude épreuve la résistance nerveuse des mercuriens (plutôt petites natures).

Dominante vénusienne

Vénus est le liant universel, la princesse aux mille trésors, la douceur, l'harmonie et la beauté dans toutes leurs acceptions. Nul ne résiste au charme vénusien car c'est un charme d'amour véritable. Le vénusien aime son prochain et, corollaire indispensable de l'amour vrai, il le respecte. Il respecte ce qu'il est ; ce qu'il choisit ; ce qu'il veut ; ce qu'il demande ; par-dessus tout, ce qui le différencie de lui-même.

L'univers est assez grand et suffisamment varié pour supporter d'être habité par des créatures tout aussi variées. Le vénusien ne va pas forcément à l'aide de son prochain comme le jupitérien bienfaiteur, mais il est bienfaisant par sa présence.

Sans nécessairement agir, il est là quand il le faut, il emploie les mots qu'il faut, sait avoir les gestes ou les silences justes. Toute d'approbation et de tolérance, son attitude met à l'aise les plus humbles comme les plus grands. Le vénusien est reconnaissable à son maintien gracieux, à sa vêture élégante et raffinée, même s'il est pauvre, à ses propos apaisants, indulgents, pacificateurs, suaves : des baumes au cœur d'autrui. C'est un épris de justice capable de se battre pour la cause à laquelle il croit : Brigitte Bardot et sa protection des animaux, comme Gandhi et l'indépendance de l'Inde, sont des thèmes vénusiens : il s'agit de protéger ceux qui sont sans défense. Sa force est dans les autres, par les autres et en autrui.

Sa faiblesse également : il se détermine trop en fonction de ceux qu'il chérit, négligeant parfois ses propres aspirations et ses besoins ; il oriente trop sa vie par rapport à eux, ne se ménageant pas de soupape de sécurité ni d'autre source de lumière. Certes, le partenaire conjugal constitue l'essentiel de son bonheur, mais il arrive qu'un veuvage prématuré, une mission de longue durée, un événement imprévu lui retire cette source, provisoirement ou définitivement. C'est chez les vénusiens qu'on trouve le plus d'inconsolables, inguérissables, car leurs attachements qui semblent se nouer avec tant de rapidité, n'en sont pas moins profonds, exclusifs, intègres. Le vénusien a le goût d'être aimé, il chérit la beauté (la mode, l'élégance, le raffinement, la grâce, l'harmonie). Il se manifeste donc beaucoup dans les professions qui le mettent en contact avec les autres, dans un cadre qui développe ses goûts. La mode, les arts plastiques, la danse, la musique, le chant, le mime, le cinéma, la création de bijoux...

Il peut aussi, en compagnie d'aspects planétaires adéquats, se passionner pour l'âme et le corps de ses semblables, d'où son choix de professions psychologiques ou de disciplines visant à atteindre plus d'harmonie, de justesse et de justice : yoga, esthétique, métiers du toucher – massages, kinésithérapie –, ceux de la jurisprudence – avocats, juges.

Le destin vénusien est imprévisible car soumis aux êtres auxquels il a choisi de lier sa vie : conjoint, amis, associés, membres de la famille ayant des affinités électives ou sélectives avec lui, voire enfants (spirituels et adoptés compris).

S'il réalise de grands desseins humanitaires, c'est souvent pour une ou deux personnes que, dans l'intimité, il vénère. Il souffre plus que tout autre de la débâcle de son enveloppe charnelle, qui heurte profondément son sens esthétique et meurtrit ses capacités à donner. Il se sent vite inutile quand il est abandonné ou rejeté par « les jeunes » et ne trouve pas les ressources en lui – en un renforcement de son égoïsme – comme un plutonien ou un saturnien. Il n'a pas non plus l'inventivité d'un uranien qui lui permettrait de surmonter ses handicaps physiques – son vieillissement, principalement – par un tonus « électro-magnétique » et une confiance instinctive en l'avenir.

Un passage de Vénus sur un angle du thème accroît les dispositions de l'être à aimer et être aimé. Il donne de la grâce, du charme, quelque chose d'irrésistible dans l'attrait qu'il exerce sur son prochain. Il assouplit les relations rigides, incite au compromis, au partage, à la concertation, au dialogue et aux transactions amiables. Au contraire, un aspect de tension peut geler ou figer les positions un peu radicales – mais pas les aggraver – rendre un peu morose, tempérer les inclinations amoureuses, retarder une décision de nature émotionnelle et affective, plus généralement, refroidir les associations comme les unions. Pas bien longtemps, heureusement.

Les spécimens humains qui séduisent un vénusien appartiennent à toutes les catégories : jupitériens (bien sûr), solaires (évidemment), vénusiens (cela va de soi), mais aussi les réputés difficiles : la trilogie « caractérielle » des saturniens-uraniens-plutoniens, ainsi que ceux qui échappent à tout contrôle et à tout engagement, à tout lien, comme les mercuriens, les neptuniens et les lunaires.

Ceux qui résistent à la fantastique puissance aimante du vénusien :
- les martiens avec leurs coups de tête malhabiles, irrationnels et rebelles.

Dominante martienne

Le martien est une sorte de monstre du Loch Ness piaffant qui surgit brusquement hors de l'eau pour cracher trois ordres impétueux et se replonger dans son silence... sans branchies.

Curieusement, cet hyperactif n'est pas un grand bavard.

Il apparaît souvent comme un être réservé, calme, peu démonstratif. C'est seulement lorsque les circonstances appellent une intervention rigoureuse et rapide qu'il se dévoile : sa précision, sa puissance fulgurante, son rendement immédiat en font un homme (ou une femme) de terrain. Il n'est alors pas de problème qui n'ait sa solution. Il faut la trouver.

Pour ce faire, il déploie toute l'énergie dont il est capable afin de parvenir au maximum de résultat, au maximum de réalisation en un laps de temps minimal. Soumettez-lui vos misères, vos drames et vos malheurs (en langage télégraphique). Il aime venir en aide. Il a besoin de secourir ses semblables, c'est la seule chose qui lui donne pleinement l'impression d'exister. Surtout s'il y un un ennemi à vaincre.

Le martien est un belligérant dans l'âme ; il doit se trouver confronté à des opposants pour donner de lui-même. Sinon, il s'enlise dans l'indifférence et le nihilisme. Un martien confronté à une existence sans heurts, sans violence, sans tensions, sans défis, sans combats est un être condamné. Ses grandes luttes portent sur les inégalités sociales, les progrès de la science, le dépistage et la guérison des maladies incurables, les injustices de famille et d'héritages. Il débite une longue tirade sous forme de soliloque – le martien n'a aucune idée de ce qu'est un échange de propos – puis il se tait pour laisser son interlocuteur parler. Sans l'écouter. Ensuite, il revient à son sujet, qu'il développe : c'est son avis qui importe. Et il le partage.

Il est souvent champion d'un sport original et dangereux (delta-plane, montgolfière, cascades) car le risque est une composante essentielle de l'instinct vital, pour le martien. On ne fait pas de plan pour le futur quand il faudrait tripler le nombre d'heures incluses dans le présent. Il considère les relations comme un corps à corps d'où l'un des participants doit sortir vainqueur. S'il est médecin, il s'acharne à vaincre la maladie. S'il est alcoolique, il s'obstine à vouloir terrasser l'ennemi en lui, au lieu de le considérer comme partie intégrante de lui-même et de s'arrêter, tout simplement. S'il fait partie d'un comité d'entreprise, il reprendra les réformes patronales pour les démolir au lieu de transmettre de nouvelles propositions. Il vit dans un monde duel, au sein duquel il doit nécessairement y avoir une partie qui a tort et une qui a raison, un individu à exclure et l'autre à imposer, etc. Rien ne se fait dans l'entente et la conciliation, car, dans l'esprit d'un martien, ça n'existe pas.

Si l'on aime le noir – ou le rouge – on doit forcément chasser le blanc. Si l'on soutient l'équipe de Saint-Étienne on ne peut que mépriser et haïr leurs adversaires. Si l'on croit en la démocratie, on s'interdit de frayer avec des ressortissants de pays totalitaires et ainsi de suite. C'est épuisant pour ceux qui n'ont pas sa nature et tous ceux qui l'entourent.

Le passage de Mars sur un angle ou sur un amas planétaire accroît le bagage combatif de l'individu. Il lui donne vigueur, tonus, le goût de pratiquer des sports ou d'apprendre les arts « martiaux ». Il le dispose à affronter la réalité, à déployer son énergie avec obstination en vue d'atteindre ses buts, à ne pas se laisser vaincre par l'adversité.

Un transit conflictuel sur le thème de naissance d'un natif peut le conduire à épuiser ses forces en exagérant ses actions, en leur donnant une tournure guerrière, en conquérant sans être capable de garder ce qui est conquis. C'est pourquoi la faiblesse du martien type est le manque de persévérance et tous ses corollaires : impatience, trop grande rapidité de jugement, impulsion bagarreuse plutôt que tempérance et longueur de temps. L'autre versant problématique du martien est son goût du risque qui le fait se disperser dans des actions d'éclat sans lendemain.

Ceux que le martien recherche avec prédilection sont :
- les êtres de mesure, de sagesse, de pondération ; autrement dit les saturniens, que leur distante froideur impressionne ;
- les individus qui, pour des raisons diverses, n'ont pas grand besoin des autres, savoir : les uraniens, vivant dans leur sphère, toujours en quête de progrès intérieur ou cosmique et puissamment centrés sur leurs inventions ;
- les solaires qui le conditionnent par leur puissant rayonnement, leur grâce volontaire, leur vitalité persuasive.

Ceux qui sont puissamment attirés par les martiens sont :
- les vénusiens, leurs opposés : ils se nourrissent de leurs actes valeureux et leur inspirent d'ardents sentiments ;
- les plutoniens, si secrets, si tourmentés, si violents dans leurs attachements et leurs haines qu'ils ont besoin du comportement simple, sans nuance du martien pour les aider à passer aux actes ;
- les neptuniens : le courage et l'intrépidité martiens les fascinent et les stimulent bien qu'ils ne puissent rien partager en profondeur, leurs univers étant trop parallèles pour jamais se rencontrer.

Ceux qu'exclut le martien sont :
- les lunaires, trop lents, trop nonchalants, trop fragiles émotivement, et trop immatures ;
- les neptuniens, utopistes, idéalistes, souvent malades et presque toujours privés d'esprit concret, à ses yeux ;
- les vénusiens dont la lenteur, la faconde, la douceur peuvent exaspérer l'impatience martienne.

Dominante jupitérienne

L'individu né sous une dominante planétaire jupitérienne a le sens de l'expansion. Son domaine est la chaleur, le rayonnement, la joie, l'enthousiasme. Il a fait sienne la devise : « Ce qu'on comprend nous appartient ». A vrai dire, c'est un glouton. De pays, de langues, d'êtres, de découvertes, d'apprentissages, de nouveautés. Voir, comprendre, exercer tous ses sens de façon optimale, les aiguiser en vue d'une absorption plus parfaite de son monde environnant, ainsi que des créatures qui le composent, tant qu'à faire (le jupitérien aimerait s'approprier les choses qu'il goûte, les incorporer), telle est la mission de ce grand optimiste.

Au contraire de l'uranien, qui a besoin d'expérimenter, en faisant fi de la morale, de la religion, des bienséances et du qu'en-dira-t-on, le jupitérien est soucieux du bien public, de l'opinion d'autrui, respectueux des hiérarchies et des codes sociaux. A l'intérieur de ce cadre, rien ne résiste à son mouvement rayonnant envers le monde : comment pourrait-il échouer ? Il a trop confiance en lui-même – et en l'autre, qu'il aime d'un amour tolérant, indulgent et irrésistible – pour considérer une fin de non recevoir comme un refus. Il revient à la charge, insiste, corrige, s'amende, mais ne renonce pas à triompher de l'adversaire. Son inépuisable allégresse le sauve de situations inextricables dans lesquelles il se plonge, grâce à son innocence éblouie. Il s'ouvre aux expériences qui s'offrent avec la candeur d'une fleur à la rosée du matin. Il a le goût de l'entreprise, de l'engagement loyal à une cause (que, de préférence, il dirige). Vous le reconnaissez à ses yeux grand ouverts sur la Terre et les Terriens, à une attitude d'ouverture, de générosité et de bienveillance tenaces.

Il peut être trompé dans sa confiance, dupé dans ses attachements, il n'est jamais vraiment découragé d'agir comme il le fait. Même s'il lui arrive d'être déçu, il balaie son dépit d'un grand rire salvateur. Au diable les esprits chagrins ! Ce sont les autres qui ont tout à perdre des déconvenues qu'ils lui infligent. Il ne pense jamais – pas une demi-seconde – à se venger : il respecte trop l'homme, avec toutes ses imperfections et ses handicaps. Et puis, la vengeance est faite pour les gens désœuvrés. Lui n'a pas le temps. L'avenir l'appelle, avec tout ce qu'il a de beau, de bon, de pur, de bienfaiteur et de réjouissant.

Cela dit, il est trop soucieux des codes, conventions et traditions pour se couper de ses contemporains par des opinions trop personnelles ; et c'est ce que d'aucuns lui reprochent. Mais foin des âmes ratiocineuses : il préfère une conviviale cohabitation de rites à une rigueur trop stricte qui, selon lui, peut confiner au fanatisme intolérant, voire justicier.

Pourtant c'est un grand amoureux du code civil, un citoyen respectueux des principes, des lois et des coutumes de la société où il vit ; et jusque dans la plus profonde intimité avec lui-même, il n'aime pas désobéir. Sa nature est de se soumettre à des autorités supérieures, jusqu'à ce que vienne le moment pour lui de remplacer ladite autorité, de devenir, à son tour, *quelqu'un*. Là, il n'est pas ennemi d'une certaine solennité ; il accorde du temps et de l'importance à des « mises en scène » jugées ridicules par un uranien ou un plutonien, et il entend être respecté comme il a respecté les instances en place. Il se montre bon, bienveillant, bienfaiteur et bienheureux, même s'il peut lui arriver d'être grisé par le délire paternaliste que confère la puissance. Jupiter dominant dans un thème astrologique rend les personnalités puissamment attirantes. Elles explosent de dynamisme, d'humour, de vitalité, de passions et entraînent dans leur sillage une multitude d'individus. Les hommes et femmes politiques, les magistrats et ceux qui sont chargés de faire respecter les lois, les grands sportifs, les turfistes, les passionnés de nature, d'animaux (ils ont une tendresse particulière pour le cheval), les fous de forêt et de chasse, les grands éleveurs, les voyageurs infatigables et les religieux très épris de rituels ont souvent une forte dominante jupitérienne.

Un transit de Jupiter, sur un thème de même tonalité astrale et coïncidant avec des astres exaltés ou des maisons privilégiées dans le ciel de naissance, accroît les potentialités de l'être. Il se sentira porté par un souffle de grâce et comblé de bienfaits innombrables. Bien que l'obstruction l'entrave et que les empêchements ne fassent guère partie de l'existence d'un jupitérien, il bénéficiera de forces accrues à chaque passage de la planète pourpre sur un point angulaire de son thème (ascendant, milieu du ciel, descendant et fond du ciel). Même si sa trop grande confiance en lui lui fait courir le risque de rebuffades ou de camouflets sévères, il sait adopter toute opposition à bras ouverts et souvent la tourne à son avantage quand ce n'est pas en dérision.

Les personnalités qui s'emboîtent le plus idéalement au jupitérien sont :
- les vénusiens (Taureau, Balance), qui exaltent toutes ses qualités en gardant la mesure, ce qui n'est pas toujours le fort du jupitérien plutôt excessif, démesuré dans ses emballements ;
- les saturniens, pour des raisons opposées : leur rigueur, leur sentimentalité scientifiquement contrôlée, leur esprit critique qui refroidiraient un Himalaya, le stimulent ;
- les uraniens, qui disposent de ce privilège si particulier : l'inspiration, et qui bousculent les schémas ronflants du jupitérien. En outre, les uraniens sont à l'affût des idées, réalisations nouvelles ; ils innovent, inventent, en brouillant les conventions, ce qui éblouit le jupitérien ;
- les lunaires (Cancer) qui réfléchissent toutes les humeurs positives du jupitérien. Ils lui donneraient presque la nostalgie d'une maison, d'un foyer, et compensent sa fâcheuse propension à chercher de par le vaste monde un Graal qui se trouve en lui...

Les personnalités qui déconcertent un jupitérien sont :
- les mercuriens (Vierge, Gémeaux), légers comme des flocons d'écume, insouciants, volatils et parfois négligents, trop joueurs et frivoles pour plaire longtemps à ce grand sachem ;
- les solaires (Lion, ou tous ceux qui ont le même signe ascendant que le signe solaire) : aussi rayonnants que lui, voire davantage ; comment est-ce possible ?
- les plutoniens (Scorpion) : trop secrets, trop intimistes, à leur goût, trop attirés par la face sombre de l'existence, tourmentés par la mort ;
- les neptuniens (Poissons), utopistes et qui semblent si indifférents aux réalités terrestres ;
- les martiens, trop agressifs et compétiteurs.

Dominante saturnienne

Il faut savoir qu'une personnalité marquée par Saturne est en quelque sorte programmée pour la rupture. Elle ne trouve son identité, son véritable nom que dans le déni. L'opposition, la contradiction, les refus, la négation qui en découlent ne sont que les variations d'un même thème : s'assurer une autonomie totale afin d'éviter la souffrance. Or, comment vivre en autarcie ? Il faut apprendre le détachement. Acquérir la force de se passer de nourriture, de sommeil, de confort, d'argent, de loisirs et surtout d'autrui. Eviter la souffrance et grandir seul, arriver à parfaite maturation de toutes les potentialités qui sont offertes à celui qui veut réussir : tel est le credo du saturnien. Il est un inguérissable misanthrope.

On peut imaginer que, dans une vie prénatale, ou antérieure à celle-ci, dont il aurait gardé la mémoire, il a souffert de privation, d'échecs et de frustrations. Lesquelles ont laissé des cicatrices si profondes que dans cette existence terrestre, il s'est promis de ne plus avoir mal. De sorte qu'il s'isole. Il se coupe de son milieu social (en général pour s'élever), de sa famille, de ses racines. Non pour renier ses origines, mais parce qu'il refuse d'être déterminé par elles. L'orgueil, le désir de dominer le monde, d'acquérir la puissance, qui motivent l'âme saturnienne sont en fait le résultat d'un immense exil intérieur. Elle est orpheline de sentiments de confiance. Personne ne l'a aimée comme elle souhaitait être aimée. Personne ne lui a donné la quantité suffisante d'attention, de bienveillance, d'indulgence éperdue pour toutes les sales misères qu'elle a commises, ni la masse de pardon dont elle avait besoin pour être rachetée. Alors, elle a décidé de se payer elle-même au plus haut prix et, en quelque sorte, de se venger de n'avoir pas su inspirer l'immense déferlement de prodiges et de prodigalité qu'elle attendait. Comment se venge-t-elle ? Sur elle-même. Le mécanisme d'autopunition est très subtil, très raffiné et parfaitement au point. Personne ne s'en rend compte car elle déguise les faits sous des formules telles que : « j'avais envie de m'offrir une petite cure de chasteté », « un jeûne d'une semaine de temps en temps, ça vous rafraîchit les idées » ou « une année sabbatique en Somalie pour comprendre l'identité culturelle de ce peuple, c'était la moindre des choses ».

A part cela, le saturnien attend ; d'ailleurs il a le temps. Rien ne lui paraît plus vain que ce déploiement d'impatience, de fougue et d'agitation irréfléchi qui caractérise ses contemporains. Lui est mûr avant de naître. Pour réussir le parcours ultra-humain, paradivin ou semi-végétal qu'il s'est fixé, il concentre ses énergies. Pas de dépense (d'énergie, de paroles, de biens, d'affection) qui ne soit strictement gérée, méthodiquement investie en vue d'un dividende quelconque, d'un objectif à atteindre, même au futur. Il voit loin et sait combien les circonstances comme les êtres se retournent. Tel pauvre dénué de tout deviendra riche et puissant. Tel potentat sera renversé. Connaissant l'instabilité des choses et la nature changeante du sort humain, il suit son projet sans se laisser interrompre par des considérations éphémères.

Léonard de Vinci refusait de déjeuner avec son meilleur ami pour ne rien lui devoir. Telle est la nature saturnienne. C'est l'être d'une seule passion. Soit amoureuse (plus souvent chez les femmes) soit créatrice. Obtenir la domination de tout ce qui le rend fragile, autrement dit de son humanité, mobilise l'essentiel de ses forces. Maîtriser l'homme au-dedans et au-dehors. Maîtriser son corps, ses viscères, ses appétits. Et contrôler le plus d'individus, de la même façon qu'il s'astreint à une ascèse à chaque instant plus exigeante. Mao Tsé-Toung et Mireille Nègre, l'ex-danseuse étoile de l'Opéra devenue carmélite, sont des saturniens. Empire sur soi et discipline amènent ces êtres à exercer sur autrui un puissant (parfois écrasant) ascendant. Marc-Aurèle, bien que l'on n'ait pas d'informations assez précises sur sa naissance, eut un destin saturnien. Qui d'autre qu'un saturnien eût pu inventer le stoïcisme, souffrir en silence les infidélités de sa femme et écrire : « O mon âme, seras-tu jamais bonne, une, nue, plus visible que le corps qui t'entoure ? »

Un transit de Saturne sur une zone sensible d'un ciel de naissance saturnien accroît les forces dudit : endurance, volonté acharnée, sens politique de l'attente, du choix du bon moment, fidélité à ses valeurs, haute exigence vis-à-vis de soi-même, profondeur de vues, concentration sur des objectifs précis en vue d'une concrétisation magistrale (même si elle est lointaine) de ses efforts. Pas assez de complaisance, d'adaptabilité, de sens de l'humour. Un aspect ou des propos parfois revêches peuvent le transformer en un marginal fissuré d'amertume... Dans un thème astrologique dominé par Jupiter ou le Soleil, il peut apporter du découragement, une certaine tristesse, assaillir de doutes, retirer de la confiance en soi.

Les personnalités qui savent amadouer un saturnien sont elles-mêmes saturniennes, le plus souvent. Les saturniens s'attirent mutuellement (si l'on peut appeler attirance ce léger déclic de reconnaissance silencieuse, introvertie) et ils s'enferment dans leur donjon de granit pour développer leur nature érémitique ou accroître le potentiel scientifique ou religieux de l'humanité.

Il arrive qu'un vénusien puisse résister aux assauts destructeurs de la personnalité régie par Saturne. Il plante sa tente à l'intérieur du donjon et essaie en douce de farcir de kapok la paillasse conjugale. Mais saperlipopette, que de philosophie il faut avoir acquis pour tenir bon. Car le vénusien paraît trop aimable à ce grincheux, il est soupçonné d'accepter le compromis et cela ne convient pas à la nature profondément intègre, rigoriste, intransigeante de Saturne dominant. Les uraniens trouvent une porte entrouverte et une oreille disposée à les entendre chez l'homme Saturne, car ils ont cette caractéristique qui est une grâce à ses yeux : le talent. Mus par une inspiration quasi divine, les uraniens exécutent leur tâche (qu'il s'agisse de tenir un comptoir de banque, de réaliser un étalage dans une vitrine de magasin, d'éviscérer un agneau dans une boucherie ou de composer une musique séraphique) avec un don, un savoir-faire, une science et un art que personne ne leur a enseignés. Cela éblouit le saturnien qui doit tellement laborieusement s'exercer, pratiquer, se discipliner pour obtenir le plus anodin des résultats...

Vient enfin l'âme habitée par Pluton, dans l'ordre des tolérés par le saturnien. Pour la seule raison qu'elle regarde au-delà des apparences. Elle ne voit pas forcément ce qui se trame derrière les masques et les décors, mais elle cherche assidûment. Voilà un trait de nature à intéresser le prince des cimes glacées. Il leur arrive de s'associer un temps pour atteindre un objectif supranaturel (entrer en lévitation, ou en apnée, ou marcher sur les flots ou construire une ville vingt mille lieues sous les mers), mais la cohabitation ne doit pas déborder certaines limites temporelles. S'il s'agit d'un mariage, il devrait pouvoir être révisé, soumis à des amendements tous les cinq ans pour avoir une chance de perdurer.

Les personnalités qui sont froissées par le saturnien sont :
- les lunaires trop fatalistes devant les duretés que la vie leur inflige, changeants d'humeur parce que trop fragiles affectivement et suspects de trop de compromissions au sein de leur famille, de leur clan, de leur circonscription ou de leur patrie ;
- les mercuriens qu'il juge sans parole et qu'il jalouse en secret. Les êtres colorés par Mercure sont des as de la communication, d'habiles stratèges, de triomphants interfaces, de lumineux agents de liaison, toutes vertus qu'abhorrent les saturniens (ils considèrent ces traits comme des travers tout en reconnaissant qu'ils sont nécessaires dans « la société factice où nous vivons ») ;
- les neptuniens dont la foi en ce qu'ils ne voient pas irrite profondément le saturnien. De plus ils sont trop irrationnels, trop imaginatifs, trop immensément compatissants envers leurs semblables.

Ceux qui le laissent indifférent sont les solaires : où trouvent-ils toute cette lumière ?
Ceux qui le déconcertent sont les jupitériens. Leur intarissable générosité, leur indémontable assurance, leur bienveillance impossible à décourager le laissent sceptique et leur idéalisme l'irrite.

Dominante uranienne

Celui que « domine » Uranus est reconnaissable au premier coup d'œil : il est profondément imprévisible. Ses gestes (parfois brusques ou maladroits), ses paroles (idem), ses actes, ses projets, ses silences, ses apparences, son milieu social, ses goûts, tout est inclassable. L'uranien est intrinsèquement, instinctivement, délibérément, sauvagement : différent. Dans la démarche première qui consiste à détecter les mobiles des individus pour comprendre leurs actes, l'on est toujours déconcerté par l'uranien. Il n'est pas fondamentalement motivé par la réussite, bien qu'il ne conçoive pas la vie sans triomphes visibles, tangibles, sonnants et trébuchants. Il n'est pas homme d'argent, son indépendance lui paraissant plus précieuse que tout pactole financier. Il n'est pas déterminé par ses sentiments, alors qu'il œuvre souvent pour le bien d'autrui. Le jeu pour le jeu ne l'intéresse qu'un instant : cela ne vous donne aucune satisfaction de nature intellectuelle malgré les apparences. Il apprécie à l'occasion d'enseigner à son prochain deux ou trois choses qu'il a apprises de la vie, mais pas au point d'en faire un moteur de son existence. L'esthétique ? Oui. Mais pas au point d'en oublier le souffle qui l'anime. L'aventure, l'infatigable découverte de l'inconnu, du nouveau, de l'indéchiffrable, cela, assurément, vaut la peine de vivre, pour un uranien. Et aussi l'expérience. Il ne distingue ni bien ni mal : il fond ces notions surannées dans le grand mouvement de la Connaissance. Pour l'uranien, il est urgent de connaître le plus de choses possible sur la terre et au ciel. Or, pour connaître, il faut expérimenter, avec ses sens, son cœur, son intelligence : la douleur autant que la jouissance, la joie et la tristesse, la nuit et le jour, l'échec et la réussite. Car éprouver, c'est connaître. Connaître c'est comprendre. Et rien ne vous appartient, rien ne vous est acquis que ce que vous avez compris. Une leçon intégrée, c'est, aux yeux de l'uranien, le plus précieux des trésors, car elle ne s'use pas, ne se dévalue pas avec la mode et les âges. Comme il est impossible d'éprouver un sentiment, de développer une idée, de découvrir un être ou un lieu à une heure ou en une circonstance déterminée, l'uranien se veut totalement improgrammé. Nul plan, nulle prévision, aucun calcul ne peuvent être arrêtés dans l'existence d'un véritable uranien. Il doit toujours rester disponible à l'impromptu, l'imprévu, l'inconnu et il se saisit de l'occasion qui passe avec un sens de l'opportunité, une présence d'esprit goulus, quasi anthropophages. C'est un grand consommateur d'expériences nouvelles, de relations inhabituelles ou d'actions intempestives, inattendues, apparemment sans logique ou irrationnelles. Chez ce grand technicien (il devient rapidement spécialiste de tout ce qui a l'heur d'attirer son attention), la part d'inspiration et d'improvisation est immense. Il ne supporte ni la routine, ni les redites de la vie, ni les répétitions (dans les deux sens du terme). Il y a donc tout lieu de penser qu'il aime de la même façon qu'il travaille, mange, dort ou se prélasse : par brusques impulsions suivies de brèves périodes de repli. Comme le courant électrique fait d'impulsions alternées, il progresse par à-coups rapides, fulgurants, éclaboussants. Ensuite, il disparaît tout aussi inopinément pour reparaître, réagir quand on ne l'attendait plus.

Ceux qui ont quelque chance d'entrer dans le cœur de l'uranien :

- en priorité, les uraniens eux-mêmes pour les raisons sus-citées ;
- également, les mercuriens : ils s'attirent mutuellement par cet intense fonctionnement cérébral, ce qui-vive de l'esprit, bien que le mercurien demeure toujours dépendant des créations et de l'originalité de l'uranien ;
- les plutoniens seront intéressés un temps par les fulgurances, les trouvailles, l'irréductible anticonformisme de l'uranien. Mais cela ne dure qu'un temps. Ensuite, les plutoniens s'assombrissent du génie uranien et s'en écartent ;
- les lunaires, dont l'imagination intensifie et féconde sa propre virtuosité inventive ;
- les martiens qui le défient, le provoquent, le remettent en question ;
- les solaires qui l'encouragent, l'animent de leur propre feu sacré et qui savent surprendre, étonner, éblouir par leur goût de la perfection en toute entreprise.

Ceux qui peuvent le laisser indifférent :

- les vénusiens, trop enclins aux compromis, trop désireux de séduire et trop dépendants de ceux qu'ils aiment ;
- les neptuniens, décidément trop gloutons d'illusion et d'utopie « paresseuse » ;

- les saturniens, trop dogmatiques, verrouillés dans leurs principes, frustrés et jaloux.

Un voyage bénéfique d'Uranus dans un thème donne à l'individu l'inspiration de ce qu'il doit faire et de la façon dont il doit procéder pour réussir. Il est alimenté par une source énergétique nouvelle, d'ordre spirituel, qui le conduit là où il faut, au moment où il le faut et avec les personnes qu'il faut. C'est souvent les moments de « chance » inattendue, les bonheurs improvisés, les voyages ou les joies soudaines. Il peut y avoir aussi des coups de bambou, des exaltations affectives, des emballements de cœur et des feux d'artifices de récompenses apparemment imméritées. Dans les cas où Uranus forme un aspect assombrissant, l'individu se sent saisi de scrupules idiots, il manque soudain d'audace, laisse passer les occasions rêvées, hésite et délibère indéfiniment au lieu de passer à l'action, se sent prisonnier, donne de grandes ruades inutiles, bref, il y a une dépense d'énergie sans grand résultat. Ou des enthousiasmes émotionnels suivis de prises de conscience violemment nihilistes.

Dominante neptunienne

Celui (ou celle) qui a en Neptune sa maîtrise planétaire est une nature profondément contemplative, poète, détachée du monde matériel. Rien ne le lie à la Terre. C'est une âme errante, une âme libre, nomade. C'est le Fou du tarot, ou le vieux mendiant nu et dépourvu de tout qui arrête Arthur dans la légende du Graal et insiste pour lui offrir sa misérable cabane et son pain tombé du ciel, alors qu'il est lui-même affamé.

Le neptunien avance dans l'existence avec un esprit de renoncement non dépourvu d'humour. Ils sont de ceux qui se sacrifient car leurs souhaits à eux passent par ceux que leurs aimés expriment. Ils donnent souvent l'impression de ne pas avoir d'intention, de désirs d'aspiration personnels : c'est vrai. Ils sont animés d'un tel amour pour l'humanité que personne, hormis des neptuniens comme eux, ne peut comprendre leurs motivations, leurs mobiles dans l'existence, la folle gratuité de leurs actes apparemment dépourvus de logique. L'explication en est pourtant simple : leur logique est celle du cœur. Ils vont vers où l'on a besoin d'eux, incapables de programmer leur existence définitivement dévolue à l'aide et au secours de leur prochain. Ils captent si fort les besoins, la souffrance, le désarroi de leurs frères les humains qu'ils peuvent en perdre la raison. Atteints de ce qu'un psychologue appellerait du délire de compassion, débordés par la douleur des êtres et leur impuissance à les en extraire, ils glissent vers des actes expiatoires, se montrant définitivement trop idéalistes pour leurs contemporains. Très fragiles devant l'immense détresse de l'humanité, ils peuvent sombrer dans la dépression. D'où leur attirance pour les drogues, les alcools, les « remèdes » et autres substituts de mirages qui leur brouillent la vue de ce qui est trop insupportable. Soumis à rude épreuve par leurs facultés médiumniques, ils peuvent être paralysés par leurs visions, terrorisés par toutes les voix qui les appellent et que les autres n'entendent pas. Les neptuniens perçoivent les courants de l'univers par leur sixième sens et leurs chakras, plus qu'ils ne se servent de leurs cinq sens, trop rudimentaires, limités, comme une radio sans antenne. Aussi ne parviennent-ils pas à être compris et ne le cherchent-ils pas non plus. Van Gogh illustre à la perfection le destin neptunien ; sa vocation religieuse contrariée par un élan profondément créateur, il fut la proie de courants contradictoires qui lui ôtaient la force de croire en lui. L'artiste était trop inspiré, trop étrange et différent pour emporter l'adhésion du « monde », le contemplatif éprouvait trop de douleur devant les misères de la Création pour être illuminé par la Vérité christique.

L'individu construit sous les auspices de Neptune justifie la culpabilité qu'il a d'exister en donnant. En se donnant, en s'offrant, en sacrifiant toute sa pulsion vitale. C'est celui qui choisit de livrer sa vie, son énergie et ses biens à la cause qu'il soutient, ou celui qui se laisse noyer par la marée, préférant la mort qui le délivrera d'un amour impossible, tel le Gilliath des *Travailleurs de la mer*, de Victor Hugo. Profondément imprégné de non-violence, le neptunien est capable d'actes contre nature pour sauver les autres. Une Simone Veil ou un Pierre Brossolette furent neptuniens dans leur héroïsme sacrificiel. Sans ego délimité, personnalité toute de douceur, de fusion, de silencieuse compassion, le neptunien se fond dans le désir d'un groupe, d'un pays, d'une communauté religieuse ou d'un idéal de fraternité au service duquel il se met, corps, âme et biens.

Grâce aux êtres élus par la planète Neptune pour les représenter, l'humanité avance en don de soi, en élan vers son prochain, en amour gratuit, en miséricorde, en pardon et en rédemption. Grâce aux moines et moniales en prière, à ceux qui choisissent le célibat, les actions bénévoles, les obscures missions de service, le renoncement à certaines gratifications et récompenses honorifiques, grâce à ceux qui choisissent ou acceptent d'être oubliés dans le monde d'en-bas, la lumière se fraie un chemin depuis le ciel jusqu'ici. Les courants d'amour insaisissables et invisibles que l'on ressent parfois et qui nous pénètrent nous font comprendre de quel aliment diaphane, immatériel se nourrissent les neptuniens.

Les transits de Neptune (planète lente) sur un angle ou une région sensible du thème d'un neptunien exalteront ses tendances à créer par l'image ou la peinture, à exalter un idéal (quitte à en mourir, comme le grand résistant Brossolette, fortement neptunien) à se « bercer » d'illusion, diront parfois ses contemporains : on a pu voir les beaux fruits que son « illusion » a engendrés chez un Jean-Sébastien Bach, un Vinci mystique, un Chopin à l'œuvre enchantée, un Victor Hugo aux vers immortels, un Charles de Foucauld se perdant aux confins du désert algérien, un Mallarmé, symboliste virtuose. Ou, plus récemment, chez un fou de musique et de mots, Boris Vian... Certes, il leur arrive de diffuser un certain flou, une certaine confusion, voire de l'irréalité aux projets, aux objectifs et aux actions du natif. Car Neptune aiguise les penchants altruistes, donne une perception des ondes et courants invisibles, des auras qui nous environnent et fait naître les vocations artistiques puissantes, ainsi que des tendances religieuses, ascétiques, monastiques ou contemplatives.

Ceux qui coïncident profondément avec les neptuniens sont :
- les jupitériens, parce qu'ils adhèrent à nombre de

leurs préoccupations, qu'ils épousent leurs idéaux, bien qu'ils aient des voies radicalement différentes pour parvenir à leurs fins ;

- les vénusiens, tellement tournés vers le bien-être de leurs semblables que, forcément, ils ne peuvent que chérir un des leurs, même si l'oubli de soi qui caractérise le tempérament Neptune lui fait négliger l'aspect esthétique du monde si précieux aux yeux des vénusiens.

- les lunaires trouvent en la personnalité neptunienne un terrain propice à l'expression de leur qui-vive sensible sensoriel et à leur hyper-émotivité affective bien que leur immobilisme protectionniste, leur besoin d'isolement et de solitude les empêchent de communier longtemps avec eux.

- les mercuriens communiquent bien en surface avec ces frères emplis d'idéal. Et ils comprennent leurs mobiles. Ils sont aussi capables de les aider à les diffuser, à répandre leurs idées. Mais ils s'engagent difficilement sur les mêmes voies et s'ils le font, c'est par amour (ou par amitié), mais non par identité d'objectifs.

Ceux qui froissent un neptunien sont des natifs ayant un sens de l'individualité prononcé : outre les saturniens dont on a déjà parlé, les uraniens ont des problèmes relationnels avec les gens de Neptune. Ils veulent mettre la Création tout entière au service de l'Homme alors que Neptune aurait tendance à assujettir l'homme à son idéal, à sa cause.

Les martiens, les solaires et les plutoniens sont également déstabilisés voire impressionnés par les valeurs et les conditions de vie du neptunien. Comme ils ne peuvent ni le comprendre ni l'approuver ni l'admirer, ils se contentent de cohabiter – le plus loin possible – avec cette race d'olibrius exotiques qu'ils protègent parfois avec bienveillance.

Dominante plutonienne

Dès son premier souffle, le plutonien est hanté par la mort. C'est un être à cauchemars, à hantises, à phobies, en perpétuel drame émotionnel. Bouleversé par ses pulsions sexuelles intenses, aussi fortes que son instinct de destruction, qui menacent de le déborder, il cherche à les dominer par des voies créatives. Comment dénouer ces cordes puissantes qui le piègent, l'enserrent, l'étreignent ? Il est cerné par le mal, le vice, la chair auxquels il est plus sensible que les autres. (Forcément, puisqu'il est obsédé par eux.) Sa carcasse faillible, prise dans un maelström de passions contradictoires, se sent très vite étranglée par l'angoisse. Il perçoit un univers de ténèbres, de catacombes, où des êtres de l'au-delà, de l'invisible le supplient, hurlent, le culpabilisent et le réveillent au milieu de la nuit.

Si les autres le prennent pour un fou, c'est qu'ils ne sont pas plutoniens. Ceux qui font partie de cette confrérie pensent que le Mal à l'état pur existe. Qu'il peut attaquer à tout instant, et prendre possession des âmes sans défense. C'est pourquoi le sommeil du plutonien est perturbé. Il se terre dans le secret. Coupable de vivre dans ce monde que les morts hantent, il se lance dans une course effrénée contre l'Adversaire pour surmonter, par tous les moyens, cette phobie qui le piège : perdre la vie. Pour ce faire, tous les moyens sont bons : gagner beaucoup d'argent (l'or ne permet-il pas de dominer le monde matériel ?), approfondir ses connaissances, se hisser au faîte de la gloire (avec le vain espoir de ne plus être persécuté par les ténèbres) ou aspirer à l'immortalité et à la Lumière divines. Tout plutôt que de traverser cet insondable purgatoire, cette douleur, ce déchirement devant la Connaissance du Bien et du Mal. Les plus insupportables tortures infligées par les hommes ne sont rien comparées à celles qu'il endure dans le secret de son cœur et de son corps. Il est prêt à traverser un tapis de braises ardentes, les pieds nus, à chercher dans le désert des pierres où se blesser, à s'affronter aux démons des mages noirs pour échapper à ses tourments intérieurs. S'il semble animé d'une énergie différente, surnaturelle, dormant moins de temps qu'une chauve-souris, se nourrissant à peine et seulement de fèves et de gruau, c'est qu'il capte des fluides mystérieux, acquiert des pouvoirs occultes, boucliers nécessaires pour lutter contre Satan, son plus intime ennemi. Mi-sorcier, mi-alchimiste, c'est un être de silence et de secret, qui apprend à manipuler autrui à volonté. Sa pensée profonde, sa capacité de concentration combinée à de puissantes émotions lui confèrent un étrange ascendant sur les autres. Tel un météore sombre, il déchire votre espace, transmutant par sa présence la paix des lieux. Tourmenté, traqué par d'invisibles bourreaux, il entreprend sur ses « victimes » une fouille psychique digne de l'Inquisition, destinée à le rendre maître des cerveaux et des corps. Il ne procède pas comme le commun des mortels : son langage passe par des ondes. Il interroge de façon vibratoire, et communique ses désirs à travers des messages indétectables, qui ressemblent à des ultrasons. Pluton rend apte à rechercher la mort initiatique – alchimique ou réelle – avec une sorte d'anxiété avide, comme s'il faisait une répétition générale de la mort qui l'attend, lui, plus impatiemment que tout autre. Il apparaît le plus souvent comme quelqu'un d'autodestructeur – avec le corollaire de cette tendance : le besoin, la pulsion de détruire. Et s'il ne l'est pas, c'est qu'il a rencontré Dieu, l'au-delà, et qu'il a perçu, à travers la nuit qui l'étreint, un espace qui n'est plus que lumière. Outre ces caractéristiques, on reconnaît le plutonien à sa fortune, ou à la profusion de sa richesse créative, ou à ses exceptionnels dons de guérisseur, de médecin, de psychanalyste, de magiste. Qu'il en gagne des montagnes ou qu'il vive en perpétuelle dèche, l'or – le dieu argent – constitue pour lui une source de problèmes. Peut-être a-t-il l'obscure conviction que l'or seul peut lui donner la maîtrise du monde visible ? Qu'il peut le garder de la mort ? Lui assurer une emprise sur la matière, emprise que ni la terre, ni les maisons, ni les possessions mobilières ne lui fournissent ? Comment accéder à l'immortalité, se demande-t-il, s'il n'a pas, auparavant, confronté sa chair périssable à celle de ses semblables, s'il ne s'est pas constitué une identité dans le monde d'en-bas ? Il lui faut s'assurer contre l'insupportable mutabilité des hommes, de leurs sentiments, de leurs acquis. Peut-être pour ne jamais « manquer », le plutonien ne s'ancre jamais nulle part, c'est un nomade de l'âme, refusant de prendre racine. Ses terres sont intérieures. Il y a souvent des tragédies secrètes dans sa vie – amours déchirées, morts d'êtres passionnément aimés, ou perte de réputation, de crédit – qui semblent placées sur sa route pour lui enseigner le détachement. Sarah Bernhardt, Picasso,

Camus, Grace de Monaco, Jean Seberg, Gandhi, Indira Gandhi, Malraux qui perdit Josette Clotis et ses deux fils sont tous des plutoniens marqués par la tragédie. D'autres ont su échapper à la souffrance à travers la création ou le renoncement, tels Dostoïevski, le père de Foucauld, Albert Schweitzer, la danseuse étoile Mireille Nègre, devenue carmélite.

Un passage de Pluton sur un lieu privilégié du thème astrologique approfondit l'intensité de ses émotions et la richesse de ses créations. Il peut faire, sous ces influences, des rencontres prédestinées, élaborer des œuvres d'une exceptionnelle richesse, ou vivre un amour prédestiné. Ou encore, opter pour un retrait du monde, une sorte d'ascèse mystique qui le délivre de ses hantises et lui donne la paix.

Dans un thème solaire ou vénusien, un séjour de Pluton apporte des remises en questions fondamentales et des solutions inespérées. La révolte contre soi-même ou l'ordre établi apporte des modifications fondamentales, des transformations très souhaitables et décide de changements dans les événements qui entourent le sujet, ainsi que d'accomplissements dont personne ne l'aurait cru capable. Dans tous les cas de figure, il s'agit d'une période importante, cruciale, même, qui conduit à une véritable renaissance de l'individu, une restructuration de sa personnalité et de ses objectifs.

Les tempéraments qui s'accommodent bien du plutonien sont :
- les lunaires, dont la sensibilité aux courants psychiques et la malléabilité absorbent les tourments du plutoniens et l'apaisent ;
- les saturniens qui partagent son goût de la retraite et du pouvoir, ses aspirations métaphysiques, même si l'ascétisme et le dénuement volontaire des premiers contrarie l'avidité sexuelle et le luxe du second ;
- les vénusiens, si gracieux, aimables, aimants, qui construisent un pont-levis entre le plutonien et l'univers environnant.

Les caractères qui demeurent réfractaires au charme noir du plutonien sont :
- les mercuriens, trop légers, adaptés, dépendants des modes, de leurs humeurs, et trop amoureux des émo-

tions factices, des distractions légères, des divertissements, pour comprendre les sombres dispositions du plutonien, ses silences, ses hantises tacites, ses angoisses et ses tourments secrets ;

- les solaires, exposés au midi, à l'extase des sunlights : ils vivent leurs émotions, leurs projets, leurs désirs de façon si claire, si lumineuse, si communicative qu'ils ne peuvent comprendre les ténèbres plutoniennes ;

- les uraniens, dont l'altruisme impatient, la fébrilité inventive, les secousses imprévisibles exaspèrent la profondeur inquiète du plutonien, qui garde la mémoire de vies, de siècles et de civilisations préhistoriques.

Ceux que le plutonien n'ébranle pas sont :
- les jupitériens, si rayonnants, si confiants dans la vie et leur bonne étoile qu'ils ne perçoivent pas les fêlures et les drames du plutonien ;

- les martiens, trop impétueux, hyperactifs et combatifs pour apercevoir ce qui se trame dans les entrailles de leur interlocuteur ;

- les neptuniens, trop passifs, contemplatifs et mystiques comparés aux vocations passionnées, à l'ardente action d'un plutonien.

Les planètes dans les signes

Chaque planète symbolise une attitude et un domaine particulier de la vie d'un individu. Outre les luminaires (Soleil et Lune) qui donnent, avec l'ascendant, l'aspect sensible extérieur, physique et émotionnel de l'individu, huit planètes exercent leur influence sur la psyché humaine. Les planètes rapides (Vénus, Mercure, Mars) indiquent des tendances superficielles de l'être. Les planètes lentes (Jupiter, Saturne, Uranus, Neptune et Pluton) vont déterminer des caractéristiques plus profondes, parfois enracinées dans le subconscient de toute une génération, c'est le cas pour Neptune et Pluton.

Le Soleil dans les signes

Soleil en Bélier
Confiance, ardeur, goût de l'entreprise, intrépidité.

Soleil en Taureau
Charme, possessivité, tempérament travailleur, fidèle, ténacité.

Soleil en Gémeaux
Intelligence, sens de la communication, des contacts, spiritualité, humour.

Soleil en Cancer
Sensibilité, imagination, tendresse, goût de l'intimité, bienveillance.

Soleil en Lion
Générosité, magnanimité, esthétisme, élégance.

Soleil en Vierge
Sens de l'analyse, de l'économie, subtilité, discrétion.

Soleil en Balance
Besoin d'harmonie, de beauté ; raffinement, séduction, douceur.

Soleil en Scorpion
Sensualité, tempérament passionné, goût de la tragédie, créativité.

Soleil en Sagittaire
Enthousiasme, foi en soi, optimisme, besoin d'aventure, ferveur.

Soleil en Capricorne
Profondeur, ambition, fidélité, persévérance, besoin de domination.

Soleil en Verseau
Recherche de la vérité, amour altruiste, brusquerie, tendance solitaire.

Soleil en Poissons
Besoin d'aimer dans la souffrance, sensibilité artistique, exaltation des émotions.

La Lune dans les signes

La Lune gouverne le signe du Cancer. Elle joue un rôle primordial sur le psychisme de l'être, ses pensées secrètes, ses désirs et ses dons créateurs. Elle indique chez la femme ses dispositions à être mère, le type de foyer dont elle est issue, celui qu'elle créera, et chez l'homme, l'image de la femme qu'il recherche. Elle est considérée comme un « luminaire », au même titre que le Soleil et elle détermine, parfois plus fort que le signe solaire ou l'ascendant, le comportement de l'être (surtout celui de la femme, et de la femme Cancer).

La Lune en Bélier
Cette position de la Lune n'est pas des plus confortables. Elle fait le même genre d'effet que Mars en

Cancer : ces deux éléments sont relativement difficiles à concilier parce que de nature incompatible. La Lune signale la face féminine cachée de tout individu, homme ou femme. Ce luminaire dans un signe éminemment belliqueux et combatif, traité de viril par les astrologues, étouffe, éteint, culpabilise les manifestations de « leadership » chez une femme. Il la rend exagérément introvertie, inhibée, avec de brusques flambées de révolte, au cours desquelles elle extériorise sa vraie nature : virile, pionnière, courageuse, entreprenante et indomptable. Puis, à la première correction, au premier camouflet, elle retombe dans sa léthargie inquiète et ombrageuse, exagérément scrupuleuse puis agressive à contre-temps. Si elle n'entreprend pas des études de psychologie ou ne s'adonne à une discipline favorisant une meilleure connaissance de soi, la native dotée de la Lune en Bélier sombre dans le militantisme social ou le féminisme revendicateur sans s'épanouir, sans développer ses puissants potentiels de meneuse, de « tribun » capable de haranguer les foules, de les entraîner et de les convaincre de la justesse de sa cause. Chez un homme, la Lune en Bélier fait rechercher une femme moralement forte, sportive, adepte de l'action sociale ou du militantisme, ou encore un être possédant un certain charisme mystique, une vocation à caractère mystique ou religieux.

Lune en Taureau

Chez une femme, cette Lune lui confère beauté, féminité, amour d'autrui. Elle donne les caractéristiques de la femme Taureau, désir de réussir, de posséder très jeune une maison, une terre, des meubles ou une affaire à elle. Son désir aussi de plaire, de séduire peut prendre des proportions excessives, surtout dans sa jeunesse. Elle aime d'amour (possessif) son foyer, ses enfants et réussit dans sa jeunesse, sans difficulté, ce que les Capricornes arrivent à réaliser après beaucoup d'efforts, souvent après trente ans. Il y a chez ces natives un grand amour de la nature, des plantes, des animaux, mais surtout des êtres humains, qui les fait opter pour des métiers de service et de conseil. Chez l'homme, une recherche de la femme sensuelle et charnelle, plus mère, casanière et voluptueuse que travailleuse.

Lune en Gémeaux

C'est une Lune d'intellectuelle, de chercheuse, de journaliste, avide d'informations, de nouveautés, de lectures, de mode, de colifichets, d'échanges et de communication. Chez une femme, cette Lune peut donner une tendance à la frivolité, à l'instabilité émotionnelle, à l'éparpillement. Une difficulté à s'assagir, à prendre des responsabilités (surtout familiales), à exploiter autrement qu'en dilettante ses multiples dons. Chez un homme, cette Lune donne une tendance à l'éparpillement mental, mais les dons de communication sont virtuoses et supérieurs. Il recherche une femme cérébrale, intelligente, cultivée, chic et très à la mode plutôt qu'une mère ou une passionnée.

Lune en Cancer

Elle est là à sa plus grande aise, en signe complice, aimant, réconfortant. Elle confère une douceur et un puissant magnétisme secret, des talents artistiques et une sensibilité à fleur de peau. La personne dotée de la Lune-Cancer a une force cachée, qui réside souvent dans l'amour dont elle a été gavée durant sa toute petite enfance. Amour qu'elle saura redistribuer lorsqu'elle deviendra parent à son tour. Elle peut d'ailleurs se laisser absorber par cette fonction, au détriment de toutes les autres, y compris sa vie de couple et ses dons créateurs. Sa grande victoire sera de parvenir à équilibrer ses pulsions émotionnelles, de telle sorte que ses enfants ne soient pas couvés, surprotégés, et qu'elle-même ne sacrifie pas ses potentiels exceptionnels en leur faveur exclusive ! Elle a du mal à communiquer avec les autres : de nature sauvage, elle ne se sent à l'aise que chez elle, auprès de ses appuis fidèles – ses proches parents, frères, sœurs, cousins –, et développe des amitiés intimes, passionnées, exclusives (à l'excès ?).

Lune en Lion

Il y a souvent chez la femme une blessure liée à l'enfance et à l'image du père. Elle compense cela par un comportement indépendant, presque détaché, violemment « séparatiste », que son tempérament fier, courageux, loyal, vertueux, alimente. Le natif à la Lune-Lion présente généralement une belle stature, un maintien et un regard droits, des gestes et des pensées nobles, une réelle confiance en soi comme en autrui. Il aime et recherche des activités liées à l'art, à l'esthétique (le sport lui plaît, car il embellit le corps et développe la volonté), mais aussi des activités de mécène, de Pygmalion, de révélateur de talents. Enfin, il cherche à rayonner, culturellement ou par sa générosité, ce qui le met souvent en position de recevoir des titres honorifiques, mais pas toujours de vivre dans l'opulence, car l'argent ne l'intéresse guère. Son plus puissant moteur est le don de lui-même à une cause noble et de salut public (ou religieux), l'élévation d'autrui à travers des valeurs morales et spirituelles.

Lune en Vierge

Ici, la personnalité de l'individu est tournée vers l'analyse. Il peut s'agir de psychanalyse, d'introspection, d'interrogation fouillée de l'univers, d'enquête journalistique, de filatures (en profondeur, car cet être ne laisse rien au hasard, c'est un perfectionniste), de finances, de biologie, de professions paramédicales ou de médecine. Mais l'analyse y jouera un rôle dominant. Très scrupuleux, soucieux d'accomplir sa tâche à la perfection, cet être se montre à la limite de l'anxiété permanente, même si elle est inconsciente. Il consacre l'essentiel de son temps au travail, et, même s'il est capable d'un humour très vif dans l'observation et l'analyse de ses contemporains, il dramatise sa propre vie : croulant sous le labeur comme un mulet sous son chargement. A la fois dans sa profession et à son domicile, se chargeant de tâches ménagères, se dévouant à tout le monde, essayant de réparer ce qui se casse, ce qui s'abîme, se détériore, dans l'humeur de son entourage autant que dans la tuyauterie de la salle de bains, bref, un peu coupable de tout, justifiant son existence, aux dépens de loisirs, vacances et de détente. Très attachant.

Lune en Balance

Lune froide, s'il en est. Attirante par sa beauté physique, une certaine élégance, une vision assez humoristique (humour froid, lui aussi, pince-sans-rire) de l'univers et des créatures qui le composent. Mais distant. L'être peut être assez tenté par la multiplication des aventures et liaisons, car séduire reste la grande affaire de sa vie. Comme elle a la passion du couple, la personne se marie généralement tôt, et se livre à une infatigable entreprise de séduction de ses contemporains !... Après s'être assurée de la stabilité de son conjoint. Si elle n'est pas le parent idéal, cette créature est l'époux ou l'épouse presque parfait(e). Parce que ses petites fredaines n'ont guère d'importance à ses yeux ; et qu'elle privilégie tout de même par-dessus tout sa relation à l'autre, qu'elle considère comme l'être le plus important de son existence, celui qui donne sens et direction à sa vie. Un natif doté d'une Lune-Balance ne reste jamais seul(e) plus de quelques heures, c'est pourquoi les conjoints appelés à voyager doivent ménager de grands moments d'intimité s'ils veulent sauvegarder leur couple et garder leur précieuse moitié !

Lune en Scorpion

Passionnée. Ardente jusqu'à la consomption. Créatrice et angoissée : telle se présente la créature Lune-Scorpion. Elle ne vit rien à moitié. Tout ce qu'elle désire, tout ce qu'elle recherche, appelle, demande, espère, attend est vécu sur le mode « excessif ». (Aux yeux des autres, naturellement !) Ni demi-mesures, ni patience, ni égards. Impossible de composer avec les circonstances, d'attendre, de différer une scène (de ménage, de jalousie, d'amour) : « tout, tout de suite », voilà sa devise. Elle parvient à obtenir ce qu'elle veut, mais au prix d'une dépense énergétique considérable – c'est son arme secrète, son absolue supériorité : elle a une énergie quasi inhumaine – et souvent au prix de nombreux « cadavres » sacrifiés autour d'elle. Qu'ils soient symboliques n'en amoindrit pas la réalité : cette nature est fatale, par bien des aspects, et, quand on l'aime, ce qui arrive souvent, il faut savoir s'en protéger. Ou l'encourager à sublimer dans l'art ses pulsions esthétisantes.

Lune en Sagittaire

L'être a la foi. Il est confiant, il est fervent, il a le feu sacré. Il aime le monde et tous ses habitants, il goûte la vie, ses bienfaits, ses grâces, ses dons. En outre, il croit en la souveraine bonté de l'univers et de l'Homme. Il est donc rare que cet être soit soumis à l'épreuve, au sens où ce qui pourrait être cause de souffrance est rapidement traversé et transformé. Ainsi, son univers est peuplé d'anges bienveillants, d'êtres providentiels et consolateurs. Il voit tout de suite, dans une situation obscure, la lumière, dans un moment de tristesse l'espoir, et sa foi ne peut être ébranlée. C'est un être-talisman, il faut toujours avoir un natif Lune-Sagittaire dans son entourage immédiat, il porte bonheur. Ses talents s'exercent à l'envi, aussi bien dans son travail – où son sens de l'organisation, son respect des hiérarchies et son autorité font loi – que dans sa vie sociale où son sens des contacts humains, son ouverture d'esprit, sa bienveillance lui attirent toutes les faveurs et jusqu'aux plus hautes. Il est bon père et bon époux, quoiqu'il ne soit pas donné à la première venue d'être illuminée de sa lumière...

Lune en Capricorne

Les individus dotés de cette Lune-Capricorne ne sont pas toujours faciles. Exigeants jusqu'à l'ascèse, refusant tout compromis, ambitieux jusqu'au déséquilibre (au malaise intérieur), ils peuvent avoir un goût de la domination, du pouvoir, qui les inhibe, les fait passer à côté de dimensions importantes, d'ouvertures, d'opportunités et de chances. Ils se montrent volontiers hautains, discriminateurs : laissant entendre qu'ils n'ont pas de temps à perdre avec le menu fretin, des êtres moyens, ou dans des entreprises sans assise. Ils oublient parfois des choses élémentaires, par exemple que pour être grand, il faut avoir été petit, que pour réussir quelque chose d'imposant, il faut courir des risques, et composer avec des êtres humbles et modestes. Souvent maladroits dans l'expression de leurs sentiments, ils passent par des affres de délibérations morales lorsqu'ils doivent affronter les autres, composer avec leurs semblables, autrement que dans la discorde, le combat, la critique ou... la tyrannie ! Solitaires, ils disent souffrir de leur isolement, sans se rendre bien compte qu'ils rejettent inconsciemment leurs semblables, tout en prétendant les solliciter. Tout de même, ils ont leurs élus. A ceux-là, ils sont capables de se dévouer corps et âme, de les aimer et les suivre jusqu'à la mort. Ce qui ne les empêchera pas de les critiquer et de se brouiller régulièrement avec eux pour des vétilles. Ils ont souvent une vocation affirmée (pour l'autorité, la réussite, les sommets) qui les dispense d'une vie privée absorbante. S'ils convolent, ils le font tard, et avec grande circonspection. La grande affaire de leur vie demeure leur réussite sociale et professionnelle.

Lune en Verseau

Cette Lune donne des gens d'apparence très sociable, chaleureux, altruistes, complices. Ils ont, cependant, une face cachée : un besoin sauvage d'indépendance, d'autonomie, qui les fait rejeter leurs « victimes » (consentantes) aussi soudainement et brutalement qu'ils les avaient capturées dans leurs irrésistibles rêts. Il faut connaître le mécanisme immuable des porteurs de la Lune-Verseau (voir, aussi, la Dominante uranienne) : le natif apparaît en général comme un ange. Une beauté saisissante, surtout par le regard, les gestes, inquisiteurs et tendres, la voix caressante. Il vous submerge par son intelligence, son attention, l'intérêt qu'il vous porte. Puis, lorsqu'il sent que vous êtes captif de son charme, il lui faut s'échapper. Son secret ? C'est un infatigable explorateur de « spécimens » humains, curieux de tout ; il se passionne pour toutes les expériences, par conséquent, ne supporte aucune entrave à son appétit ! Adepte de l'union libre, compréhensif, tolérant, il se préoccupe profondément du bien-être de ses contemporains au détriment, parfois, des êtres les plus proches, ses parents, sœurs, frères, enfants, etc. Mais il réalise une œuvre originale, humaniste, et obtient du public une certaine consécration, même si c'est à un moment où il n'y attache plus d'importance...

Lune en Poissons

Tendres, profondément sentimentales, sensibles, ces personnes ont une puissance de compassion exemplaire. Aucune souffrance sur Terre n'est incomprise d'eux, ils n'assistent à aucune épreuve qu'ils ne puissent partager. Cette empathie profonde, cette compréhension leur donnent dès l'enfance une telle maturité que parfois, parvenues à l'âge adulte, elles semblent dotées d'une vieille âme. Mais cette faculté d'épouser la douleur du monde environnant est aussi source de décalage par rapport à lui. Ce natif peut facilement être pris comme victime, souffre-douleur d'êtres tyranniques ou abusifs, ou simplement rester incompris des gens qui lui sont le plus proches. C'est l'origine de ses tendances créatrices : au début, l'être se réfugie dans l'art, la création, plus pour trouver remède à ce sentiment d'incommunicabilité avec autrui que par pulsion instinctive, comme chez le Cancer ou le Scorpion. Mais il arrive qu'il y prenne goût, et s'abîme dans son univers imaginaire. Il choisit des professions qui le mettent en contact fusionnel avec les autres : médecine, enseignement, ou des professions liées à l'eau, ou encore, à l'image, aux sons, éléments privilégiés de la Lune-Poissons.

Il réussit à devenir célèbre, sans le faire exprès, souvent, parce qu'il sent intuitivement ce qu'attend le public. Il comprend son entourage, comme son époque, avec une rare subtilité, sait s'adapter aux autres.

Emotionnellement fragile, il doit apprendre à se protéger par des techniques de détachement telles que le yoga, la relaxation, la méditation.

Mercure dans les signes

Gouverneur du signe des Gémeaux et de la Vierge, il est l'astre des contacts, des dispositions intellectuelles, de l'univers mental. Il indique donc, dans un thème, les tendances du natif dans le domaine de la communication, sa faculté d'échanger des idées, de recevoir et de transmettre des informations. C'est la planète la plus rapide après la Lune. La Tradition la représente en jeune homme dont les pieds sont ailés, car il est le petit facteur des dieux. Sa fonction première est donc de servir d'intermédiaire dans la communication entre les gens. A un degré plus élevé, il se confond avec Hermès, l'instructeur, le guide intérieur qui permet d'accéder à la Connaissance, la Spiritualité. Le signe où il se trouve permet donc de définir la façon dont l'être coopère à son monde environnant à l'aide de paroles, d'actes, d'écrits ; il renseigne aussi sur sa plus ou moins grande faculté d'adaptation et son type de structure mentale.

Mercure en Bélier

C'est un Mercure militant, par excellence. Le natif adopte un point de vue totalement subjectif (parfois injuste), le défend de façon partiale, obstinée, sans chercher à connaître les autres avis, sans peser le pour et le contre. Idéal pour les avocats du diable, ceux des minorités opprimées, pour les causes perdues, qu'il gagne. Il est remarquable dans les débats, les actions politiques où une certaine partialité, obstination, et même « mauvaise foi » sont nécessaires.

Mercure en Taureau

Intelligence pragmatique. Sens du concret. Difficultés à laisser parler les autres, à écouter et à admettre leur point de vue. Donne une bonne capacité de travail, et un goût pour les réalisations tangibles, les contacts utiles, les relations qui peuvent servir les intérêts de la personne. La notion d'échange dans toute communication lui est nécessaire : elle ne conçoit pas d'acte ou de contact spontané, gratuit. Dans les études, il est bon d'orienter cet esprit vers des matières ou des valeurs « terriennes » : de la technique, de la construction, des montages financiers, de la gestion, du commerce, de l'aménagement d'espace, de l'art gastronomique ou de l'organisation de loisirs plutôt que des mathématiques pures ou de la philosophie.

Mercure en Gémeaux

Esprit vif, curieux, virtuose. Sa tendance à l'éclectisme peut être jugulée par l'apprentissage d'une certaine discipline. Sa facilité à comprendre et à maîtriser intellectuellement un nombre incalculable de notions, en fait un être aux opportunités privilégiées : son aisance, sa faconde spirituelle, sa culture encyclopédique, son vif intérêt pour les êtres et les langues, les contacts et la culture lui donnent une grande liberté de choix ainsi qu'une propension à s'éparpiller. Il lui faudra donc constamment se surveiller, opérer une synthèse, choisir ses centres d'intérêt et s'y tenir. A moins qu'il ne préfère demeurer un touche-à-tout amateur !

Mercure en Cancer

L'intelligence est profondément imaginative. Le natif fait preuve d'une grande subjectivité dans ses perceptions, d'une sensibilité et d'une subtilité dans ses contacts qui peuvent devenir une force. Il a le goût du romanesque, qui peut l'amener à devenir écrivain : et, s'il persévère dans la voie de la création, il peut obtenir de réels succès par ses écrits. Il est particulièrement passionné par le monde des enfants, l'histoire et le passé, à partir duquel il se façonne. Ce sont aussi des thèmes d'invention privilégiés pour lui.

Mercure en Lion

Tout le cerveau de ce natif est alimenté par le désir de créer et recréer. C'est un univers récréatif qui l'habite, où la beauté, l'art, l'esthétique jouent un rôle prioritaire. Son intelligence impérieuse s'oriente vers la réalisation de ses idées, avec une volonté, une assurance affirmées. L'être doute peu de ses talents et de ses capacités. Il faut dire que ses conceptions sont claires, que son goût de l'excellence et son énergie servent précieusement son ambition. En général, il atteint des buts plus élevés que sa condition de naissance ou ses aptitudes initiales le laissaient espérer. De plus, il exploite au maximum ses relations sociales, avec un instinct sûr de la valeur réelle des individus.

Mercure en Vierge

Ici, le natif est tourné vers l'analyse raffinée, la recherche fondamentale, l'accumulation et le classement méticuleux des connaissances. Il emmagasine une quantité impressionnante de données (sans chercher à en faire la synthèse). Son tempérament collectionneur le fait collecter les informations, qu'il stocke dans sa mémoire prodigieuse et qu'il est capable de restituer au quart de tour. Il a un sens aigu (presque maniaque !) du détail. Mais il peut lui manquer de cette aisance intuitive qu'a Mercure en Gémeaux. Sa mémoire, sa phénoménale capacité d'enregistrement lui donnent des dispositions pour les matières scientifiques. Il fait un brillant chercheur en médecine, biologie, intelligence artificielle.

Mercure en Balance

L'intelligence est aérienne, subtile, et pondérée. L'être ne tombe jamais dans le piège de la partialité. Il sait peser le pour et le contre, jauger les parties, mesurer ses jugements comme ses propos. Jamais critique, il a la faculté d'aborder tous les problèmes sans les affronter, de sorte que les solutions émergent toujours, quels que soient les obstacles, les difficultés rencontrées. Cette tendance de son esprit le pousse souvent vers le droit, la magistrature, les responsabilités d'arbitre et de juge, où ses qualités de législateur, temporisateur, de médiateur font des prodiges. Comme ce Mercure aime par-dessus tout le dialogue (à ses yeux, l'échange d'informations est plus important que de parler, c'est un homme d'écoute), il fait aussi un remarquable diplomate.

Mercure en Scorpion

C'est à un esprit lucide, percutant, avide, question-neur, pourquoyeur que nous avons affaire ici. L'intelli-gence est sélective, profonde, inclassable : ce qui intéresse ce natif, c'est d'enquêter, de déceler, de découvrir et éventuellement révéler ce qui était caché. C'est pourquoi il fait merveille dans la recherche médicale, la psychiatrie, la psychanalyse (où il excelle, même en amateur), la parapsychologie et le paranormal, la filature, les missions policières, le journalisme d'enquête. Très marginale, donc peu adap-tée aux études traditionnelles, cette personnalité réus-sit pourtant – de façon parfois secrète – dans les domaines qu'elle a entrepris d'explorer.

Mercure en Sagittaire

L'aventure, les voyages, la conquête des mondes est l'objectif premier de ce bipède éclairé : il goûte le commerce, comme les Gémeaux, mais aussi les grands débats d'idées, le mécénat, les échanges internatio-naux. Très doué pour les langues, il cherche à réduire les distances, les barrières, les frontières : aussi bien géographiques, économiques que mentales. Il réussit à travers l'étranger dans des domaines aussi divers que le tourisme, l'enseignement – de langues étrangères – les moyens de transport, le sport, la promotion de marques ou de noms.

Mercure en Capricorne

Il est froid, raisonneur, persévérant, méthodique. Il aime la connaissance, non seulement celle acquise par les études, mais celle qu'il acquiert par les lectures.

C'est sa détente favorite : la lecture. Très vite, il acquiert un savoir encyclopédique, dont il ne fait pas étalage, mais qu'il sait utiliser dès son adolescence pour *conduire* sa vie, dont il conçoit scientifiquement chaque étape. Ce Mercure rend l'individu perfectionniste, lui confère une mémoire phénoménale et vive, peu de goût pour les sujets superficiels, des aptitudes pour la philosophie, les concepts abstraits, l'histoire de l'humanité, la politique, enfin, où il excelle.

Mercure en Verseau

La planète de l'intelligence, des échanges, de la communication est ici spécialement à son aise dans le signe du Verseau, qui se tourne vers les découvertes du futur, la science, l'aérospatiale, la conquête de nouvelles technologies. Rapide, synthétique, avec des éclairs d'intuition fulgurante, ce bipède domine souvent son siècle par son avant-gardisme, son excentricité, ses traits de génie qui le rendent souvent incompris. Il apparaît comme quelqu'un de brusque, utilitariste, opportuniste et utopique. Il réussit à s'imposer dans les technologies nouvelles, l'informatique, la télématique, la télévision où son talent est reconnu et apprécié.

Mercure en Poissons

C'est le Mercure des poètes, des peintres, des romanciers visionnaires. Souvent flou, soumis à des impressions difficiles à transmettre par le langage, il a du mal à traduire ses perceptions presque médiumniques. Il n'a que l'art pour formuler ses sensations, si fortes qu'elles en deviennent incommunicables, sinon à travers l'œuvre qu'il crée. Une autre façon, aussi, pour ce Mercure, de transmettre l'exceptionnelle richesse de sa sensibilité est d'œuvrer pour une cause humanitaire, ou de répondre à une vocation de thérapeute, de soignant, de médecin : il y excelle par son don d'empathie, sa capacité à comprendre émotivement tous les drames de ses frères humains.

Vénus dans les signes

Gouverneur du signe du Taureau et de celui de la Balance, avec Saturne, Vénus donne un caractère facile, aimant, artiste. Comme on le sait, elle est aussi la planète de l'amour : moins l'amour physique que les sentiments amoureux, l'attitude émotionnelle du natif dans la vie. Sa position dans un thème astral permet donc de déterminer quelles tendances aura l'être en ce domaine.

Vénus en Bélier

Ardente, impétueuse, combative, intrépide, cette Vénus donne au natif des tendances brusques, dans ses comportements amoureux, une certaine impatience, un goût immodéré de la séduction qui se lasse dès que la conquête est assurée. Elle doit se raisonner si elle veut garder auprès d'elle son bien-aimé.

Vénus en Taureau

Cette Vénus donne des êtres amoureux, fidèles, tenaces, sensuels ; ils sont pleins de charme, de beauté, d'élégance, ils captivent et bouleversent par leur sex-appeal, leur élégance, leur don de séduction, leurs élans. S'ils sont généreux, ils ne perdent jamais le sens du confort et travaillent rudement pour obtenir ce qu'ils veulent (mariage, famille soudée, maison et terres). Leur possessivité et leur jalousie peut cependant assombrir le tableau de leur vie affective.

Vénus en Gémeaux

Légère, spirituelle, peu soucieuse de s'engager, ayant le goût de la conquête cérébrale et affective plus que physique, cette Vénus est capable d'amour profond, vrai, quand elle rencontre l'âme-jumelle annoncée par le signe double des Gémeaux : âme qu'elle attend en secret. Il y a souvent deux étapes distinctes dans sa vie amoureuse – l'une marquée par une profusion de flirts, l'autre par une grande fidélité, par exemple – et aussi deux mariages ou deux amours marquants. Sauf si elle est reliée à une dominante plutonienne, une Lune ou un ascendant Taureau, cette Vénus n'est pas très charnelle.

Vénus en Cancer

Orientée vers la famille, cette personnalité imaginative, vulnérable et contradictoire peut rester attachée à une image familiale qu'elle recherche toute sa vie à travers des personnages un peu fantômes. Si c'est une femme, elle cherche inconsciemment le père protecteur (voire grondeur et justicier !) en l'homme ; si c'est un homme, il quête la réplique de sa mère, d'une jeune tante ou de sa sœur aînée. De toute façon, l'amour du foyer, de la maison, des enfants prime sur l'amour du conjoint.

Vénus en Lion

Lumineuse, magnanime, généreuse, cette Vénus est plus à son aise chez un homme que chez une femme. Elle donne en effet des qualités « viriles », une grande franchise, de la loyauté, le besoin d'épreuves pour affirmer l'amour qu'on lui voue. Elle a besoin d'un être qu'elle puisse admirer sur tous les plans, qui la dépasse et lui donne envie de se dépasser. Foin de ces amours frelatées, hâtives, adultérines : la Vénus-Lion prône la fidélité jusqu'à la mort et même par-delà, si c'est donné aux trépassés ! Sauf manquement grave ou trahison, ses sentiments envers ceux qu'il aime sont partiaux, inconditionnels, bref, fidèles, à toute épreuve.

Vénus en Vierge

Le natif n'a pas une grande confiance en l'amour, et partant, en son prochain. Au demeurant, se fait-il confiance à lui-même ? Il cherche chez les êtres en passe de devenir des amis, des amours, le plus utile matériellement (celui qui sait réparer, coudre, repasser ou rapporter des intérêts, quels qu'ils soient), l'être aux sentiments sages et raisonnables, l'être vertueux et sans risques auquel sa nature pudique, farouche, pragmatique l'incline. Une fois son dévolu jeté, il lui est très serviable, secourable, dévoué. Sous ses dehors puritains, c'est un voluptueux aux ressources sensuelles insoupçonnables.

Vénus en Balance

C'est l'amour de l'harmonie, l'amour d'autrui, l'amour du couple qui prime, avec cette Vénus. Elle inspire la dépendance au sein de l'union, la douceur et la conciliation en cas de désaccord, la recherche d'un équilibre et d'une sérénité que seul l'échange mélodieux avec autrui peut lui apporter. La sensualité est très esthète, et très sensible aux variations du désir de l'autre.

Vénus en Scorpion
Ardeur sensuelle, puissance d'attrait, influence magnétique exercée sur autrui : tels sont les trois pôles orientant cette personnalité. Elle a une tendance à vivre ses aventures sentimentales de façon grave, angoissée, avec un sentiment parfois tragique, dû à une impression d'incommunicabilité. Elle se livre corps et âme à sa passion, au risque de la brûler.

Vénus en Sagittaire
Grande générosité : les sentiments sont forts, l'attachement enthousiaste, l'engagement durable. Le natif vit souvent un grand amour à l'étranger ou avec un étranger. Il a une fascination pour l'ailleurs. Il peut être amené à se marier deux fois.

Vénus en Capricorne
Une étrange disposition de l'âme donne au natif l'impression d'être coupé de son milieu d'origine. Il a le complexe de l'orphelin. D'où le sentiment d'isolement qu'il ressent, et aussi de perpétuelle frustration. Il arrive qu'un désir puissant de « revanche » sociale l'incline à aimer quelqu'un de plus « haut » que lui dans l'échelle sociale. Ce dont il peut souffrir. Peu démonstratif, il n'en éprouve pas moins des sentiments profonds et fidèles.

Vénus en Verseau
Altruisme, amitié, fidélité, idéalisme conduisent souvent ces natifs vers des êtres non possessifs, comme eux. Ils aiment plutôt l'autre pour son bonheur à lui, ce que le partenaire ne comprend pas toujours très bien. Il leur faut rencontrer quelqu'un qui comprenne ces sentiments altruistes et ne cherche pas la « possession » à tout prix, s'ils veulent être durablement heureux. Pour cette raison, ils sont le plus souvent adeptes de l'union libre.

Vénus en Poissons

Anxieuse, émotive, dépendante, cette nature déconcerte son (ou ses) amour par une capacité de fusion totale avec lui. Elle serait encline à perdre volontiers son identité dans cet amour, si d'autres éléments un peu égotistes n'interviennent pas. Elle peut avoir de grandes difficultés à choisir son conjoint, du fait de la confusion de ses sentiments. Ou opérer des choix étranges que les autres ne comprennent pas.

Mars dans les signes

Mars gouverne le signe du Bélier et celui du Scorpion, avec Pluton. Cela signifie qu'il joue un rôle prépondérant non seulement pour les gens nés sous le signe du Bélier, mais aussi pour ceux qui ont l'ascendant, la Lune ou un angle du thème (maison I, IV, VII ou X) occupés par le Bélier.

Mars joue un rôle déterminant dans le thème d'un Bélier, même s'il n'est pas situé dans le signe du Bélier. Par exemple, un Bélier ascendant Vierge avec Mars en Scorpion ressemblera beaucoup plus, dans son apparence et ses réactions, à un Vierge-Scorpion qu'à un Bélier. Dans un thème masculin, Mars symbolise ce qui touche à la sexualité, à la prise sur le monde matériel, à la santé et à la profession. Chez une femme, il désigne ses relations avec la sexualité masculine, son travail et sa santé.

Mars en Bélier

Donne un natif capable de coups de collier, impulsifs, rapides, efficaces... mais sans durée. Il faut donc se connaître et prévoir un emploi du temps en fonction de ces brusques ardeurs suivies d'aussi brusques chutes d'énergie. Dans le domaine des activités, il a le goût du sport, celui des conquêtes réputées difficiles (voire impossibles) et ce, dans les domaines les plus variés : il n'est pas de défis que le Bélier ne soit prêt à relever. En ce qui concerne les relations avec autrui, ce Mars donne des accès de brutale agressivité (perceptible par les mots, l'intonation, les gestes) mais ils ne durent pas et même si la faute est grave, le natif l'oublie. Sans rancune. Un Mars en aspect conflictuel avec la Lune ou l'ascendant Cancer peut traduire des désirs opposés entre l'amour de l'action, de l'aventure, sans feu ni lieu, et l'amour de la famille, du cocon familial, du foyer ou des enfants. Un mal-être intérieur, également, peut se signaler, une difficulté à exprimer ses émotions, sa tendresse, sa sensualité. D'où une vie affective qui débute tard et ne satisfait pas pleinement les aspirations muettes de l'être.

Mars en Taureau

C'est un Mars sensuel, dionysiaque, friand de possessions et de confort matériel. Il incline le natif à adopter des activités liées à la matière (peinture, menuiserie, poterie), à l'art (dessin, sculpture), à la beauté, à l'esthétique, à la décoration, en passant par les travaux manuels en rapport avec la mode, le pop'art, la médecine ou thérapie par les mains (massages), le toucher, la chirurgie plastique. Il permet de poursuivre ses desseins avec obstination, persévérance et beaucoup de lenteur. Sans se laisser détourner de ses propres visées, quelles que soient les dissuasions de l'entourage. Le natif est un réalisateur de longue haleine, peu attiré par le changement : trop possessif et jaloux de sa sécurité et de ses acquis. En aspect contrariant avec la Lune ou l'ascendant en Lion, il traduit un caractère qui s'emporte facilement et donne des conflits dans l'expression sociale : l'individu a du mal à se situer par rapport à certaines normes imposées par la société et son complexe social l'amène à critiquer, lutter ou rejeter lesdites valeurs tout en désirant en bénéficier. Il désigne, chez un homme, un grand appétit de biens, et une nature violemment possessive dans ses relations amoureuses. Chez une femme, un métier lié à l'art ou au toucher, et un homme qui soit violemment possessif et jaloux.

Mars en Gémeaux

L'activité de cette personne est très soumise à son système nerveux. C'est quelqu'un d'excessivement mobile, volubile, brillant et... fatigable. Ses goûts se portent vers les jeux sous toutes leurs formes. Jeux d'esprit, de société, jeux Olympiques, jeux d'adresse et jeux de mots. Son destin professionnel peut être double : soit il exerce deux activités distinctes, en même temps, tout au long de sa vie. Soit il change totalement de cap au milieu de sa vie. Soit encore, cette marque de « duplicité » (ou d'ubiquité interne) se traduit par deux engagements sensuels d'égale importance. La carrière de la personne est marquée par l'écrit, les travaux de l'esprit, l'enseignement, le jeu ou, en cas de signe solaire différent, peut être colorée des deux tendances. Ainsi, un Scorpion avec Mars en Gémeaux est amené à exercer à la fois un métier qui le met en contact avec les choses secrètes et le fait communiquer avec les autres : chercheur, écrivain, parapsychologue, mais aussi artisan potier, ingénieur des mines, spécialiste de communications ferroviaires, etc. Au carré de la Lune ou d'un ascendant Poissons, cet aspect peut provoquer de la confusion ou une certaine dispersion, voire du dilettantisme dans l'élaboration et la poursuite de ses désirs. Ou, à l'opposé, un excès de perfectionnisme, de scrupules ralentissant l'action.

Mars en Cancer

Douceur, nonchalance, imagination : ces trois caractéristiques inclinent le natif à choisir un métier lié à l'enfance, ou lié à ses dons d'imagination. De la scène (comédie, décors, marionnettes, clown, cirque) au contact direct avec la foule (stands de foires, commerces), les possibilités sont vastes. La mer, les océans sont aussi un des lieux privilégiés de Mars en Cancer : on trouve des navigateurs, des pêcheurs et des nageurs (maîtres ou pas) sous cette configuration astrologique. La restauration, la gastronomie et l'hôtellerie sont aussi des métiers prisés par le natif. Bien qu'il ait des affinités avec le grand public, c'est un sauvage, qui se sent souvent mieux avec des horaires marginaux pour vivre en ermite et se ressourcer. En aspect contrariant avec l'ascendant ou la Lune en Balance, le natif souffre de son besoin affamé d'aller vers les autres, de leur donner tout ce qu'il possède, et le désir de se retrancher sur son île, dans son monde imaginaire.

Mars en Lion

C'est une position des plus avantageuses pour cet astre courageux, plein d'orgueil et parfois belliqueux. Enfin, un signe grandiose, à sa mesure. Il a toute latitude dans cet abri de lumière et de feu pour élaborer ses somptueuses architectures, ses munificentes sculptures, ses créations magistrales tant dans le domaine des beaux-arts que dans celui de la musique, de l'écriture, du spectacle ou de la politique. C'est aussi la configuration de médecins de grande renommée, d'adeptes des sciences humaines, de psychologues des profondeurs et de versés en religions. On reconnaît ces natifs à leur prestance, ce quelque chose de triomphant et serein à la fois, dans leur attitude. La femme ayant Mars en Lion recherche un homme noble d'âme et généreux, protecteur et puissant. L'homme fréquente et recherche les femmes distinguées, exècre les masses, les sentiments communs comme la jalousie, l'envie, la médisance. En aspect contrariant avec la Lune ou l'ascendant Scorpion, il peut créer des conflits et des tourments liés à sa sexualité qu'il a du mal à dominer – et musèle parfois totalement. En aspect blessant par rapport à la Lune ou l'ascendant Taureau, il peut être tenté d'accumuler des expériences physiques, des conquêtes sans lendemain (le complexe de Don Juan).

Mars en Vierge

Intellectuel, méticuleux, perfectionniste : voilà les trois caractéristiques de ce Mars. Il s'attache à des travaux subalternes – par manque de confiance en soi – et se plaît dans des métiers de service où il aide et se sent utile : les infirmiers (ières), les médecins bénévoles, les serveurs, les adjoints auxiliaires ménagers présentent souvent Mars en Vierge. Mais son efficacité s'exerce aussi dans toutes les affaires pratiques, liées à la purification (des lieux, des aliments, des âmes). Les recherches médicales et paramédicales (les thérapies, analyses), la technologie l'attirent. Partout où peut s'exprimer son souci du détail, du minuscule miniaturisé (horlogerie), partout où il faut combiner des éléments, associer des connaissances, regrouper et sélectionner des informations, il est à son aise. Foin des théories, des concepts sans matière, sans objet (fût-ce un ordinateur). Il aime planter ses pensées dans des volumes concrets. Il est très nerveux, fatigable, anxieux, il se sous-estime souvent. Sa santé est soumise à ses tortures morales ; il est hanté par le bien et la peur de mal faire. Un homme nanti de Mars en Vierge est fidèle en amour, serviable, économe, parfois très puritain. Chez une femme, il lui fait rechercher un homme ayant ces qualités. En aspect dérangeant avec la Lune ou l'ascendant Sagittaire, il exagère les scrupules et l'humilité de l'être ou exerce une tyrannie sur son sens du devoir. Il donne aussi une boulimie de désirs impossibles à concrétiser.

Mars en Balance

C'est un Mars diplomate, soucieux de justice sociale, voire adepte du combat pour l'équité. Il est capable de dépenser beaucoup d'énergie et de temps pour soutenir et défendre une cause qu'il a décidée juste. C'est un avocat, un tribun né. Il aime faire triompher les causes dans la légalité. Il prend en considération le point de vue d'autrui et le respecte, sinon le comprend. C'est ce qui donne tant de force à ses plaidoyers. Il est fort par sa souplesse, la réversibilité de son jugement, la tolérance qu'il a des points de vue étrangers au sien. C'est le citoyen le plus respectueux des différences de tout le Zodiaque : différences entre races, religions, us, pratiques, habitudes. Il comprend et admet tous les antagonismes entre les êtres. Parfois, on assimile cette attitude neutre, refusant de juger, à de l'indifférence ou à une absence de convictions. C'est vrai que ce personnage est un sceptique, distant, adapté à tous les modes de vie, capable d'une réponse aimable en toutes circonstances. Cela ne l'empêche pas d'avoir ses croyances et ses certitudes.

En amour, l'être est doux, attentif, voire attentionné, tolérant, tout en ne faisant aucune démonstration de passion. Il aime la concertation et le dialogue dans tous les domaines. Il aime plus ce que l'autre désire et s'attache à l'exaucer au détriment de ses propres souhaits (sans en souffrir). Inutile de préciser que les femmes ayant ce trait distinctif s'attachent aux hommes farouchement élégants, soignés et beaux. Les hommes également. Ces natifs ne se donnent pas trop de mal dans l'existence et obtiennent sans difficulté (souvent par mariage) ce qu'ils voudraient de la vie.

En position contrariée avec la Lune ou l'ascendant Cancer, ce Mars donne des difficultés à résoudre des souffrances issues de l'enfance, d'où une insatisfaction dans le foyer, dans la relation de couple. Ces complexes risquent de se traduire aussi dans les apparences, avec un laisser-aller dans la mise et dans l'entretien de soi (tendances à s'empâter ou à trop maigrir, à laisser régner le désordre ou même une certaine malpropreté). La misanthropie, l'excès d'attachement à la mère (ou son éviction) font partie des comportements liés à cet aspect. Contrarié par une Lune ou un ascendant Capricorne, les difficultés concerneront plutôt l'affirmation et le statut du natif au sein de la société, ses ambitions professionnelles, son désir d'élévation et de pouvoir, d'emprise sur ses semblables.

Mars en Scorpion

C'est l'un des lieux les plus en accord avec Mars : ici, l'individu n'a aucun mal à exprimer son agressivité, il manifeste son emprise sur le monde avec force et ténacité. Il sait choisir le bon moment (au contraire du Mars en Bélier trop impulsif), demeure attentif au moment propice pour choisir les circonstances et lieux « d'attaque » : d'une entreprise, d'une conquête, d'un procès, etc. Il est créateur et généreux, actif sans excès, peu attiré par le sport (excepté s'il le décide par raison) et a besoin de courir des dangers graves, de se trouver dans des situations extrêmes, jusqu'au-boutistes pour se sentir, s'éprouver. Il choisit toujours de se confronter avec la mort, avec une énergie psychique d'une violence et d'une profondeur excessives. Ses professions sont souvent liées à ces pulsions de mort : chirurgie, médecine, recherche médicale, disciplines dans lesquelles il excelle, par son tempérament obstiné, sa concentration exceptionnelle. Mais on le voit aussi dans le monde de l'art, la peinture, le cinéma, le théâtre, où ses angoisses, ses tourments, ses pulsions de tragédie trouvent un exutoire. Il peut aussi se tourner vers le mysticisme. Là, ses prémonitions, ses perceptions médiumniques, ses pressentiments anormaux lui permettent de renaître, de rejaillir dans la lumière, de triompher des ténèbres (par les jeûnes, les autopunitions diverses, l'ascétisme). De toute façon, il est appelé, par ses forces psychiques, dans les mondes noirs, pour y faire rejaillir la lumière : or noir, banques, volcans, souterrains, grottes, tous les lieux où il est en contact avec les puissances mystérieuses de la mort, et de l'au-delà. De la « petite mort » aussi, dans laquelle, en donnant la vie, il peut exorciser ses hantises. Sa sensualité constitue le moteur de son existence (sauf si une dominante ou un aspect lourdement opposés entravent ce programme). Elle est très exigeante et se poursuit jusqu'à un âge avancé (pour les femmes aussi). Ces natifs sont capables de déployer une énergie, une volonté, un acharnement farouches pour conquérir les personnes qui, sexuellement, les captivent. Ils sont profonds dans leurs attachements physiques, même si, occasionnellement, ils sont infidèles.

En position inhibante avec la Lune ou l'ascendant Lion, ce Mars peut soulever des conflits graves, chez l'être, entre son appétit sexuel et sa volonté. Avec la Lune ou l'ascendant en Verseau, il complique sa relation au foyer, lui donnant le désir de se couper de son milieu d'origine, et plus tard, de rompre avec sa famille – celle qui l'a fait naître comme celle qu'il crée –, de refuser d'exprimer son humanisme et sa générosité. S'il ne se raisonne pas, par une démarche volontaire, il peut alors apparaître comme quelqu'un de cruel, froid, détaché, le destin Verseau l'inclinant à se retrancher des autres, à s'isoler dans une incommunicabilité de plus en plus profonde. Etre incompris, rejeté, exclu est alors le but recherché – inconsciemment – par le natif.

Mars en Sagittaire

C'est un idéaliste. L'appel du grand large, de l'aventure, des grands espaces le taraude dès l'âge de raison. Pour le faire un peu patienter, on lui propose des exploits sportifs (l'équitation et l'escrime sont ses privilégiés), des voyages imaginaires (en compagnie de Jules Verne), d'apprendre la musique ou plusieurs langues. Toutes choses qu'il accomplit en un temps record. Son but : amoindrir, en les combattant, les différences entre les hommes. Le natif ayant cette position de Mars dans son thème n'entreprend jamais de petites choses : il voit grand, ratisse large et a spontanément de l'envergure : il emporte tout et tout le monde dans son élan vers les autres, avec une préférence pour les métiers où il peut voyager aux confins de la Terre. Il s'occupe souvent de « causes » humanitaires, avec une équipe autour de lui pour exécuter ses plans (mais il se débrouille pour rester responsable de ses entreprises, même s'il passe son temps dans les avions, les gares ou les grosses voitures). Qu'il s'agisse d'élevage d'animaux, de protection de l'environnement, d'entreprises céréalières, d'une maison d'édition ou d'une agence de photos, il s'arrange pour être en contact avec la nature, et être utile à son prochain.

En amour ce natif très ardent aime conquérir. Pourtant, le mariage en tant qu'institution, engagement, a une grande importance pour lui. Il choisit le bon moment, souvent la cérémonie religieuse est plus significative à ses yeux que les formalités civiles, et c'est l'occasion de rassembler une foule de personnes de tous les horizons : ses amis sont légion. Parce qu'il leur donne beaucoup, de son temps, de son énergie, de ses biens. Il organise de grandes réjouissances, en toute occasion. Cela fait partie de son engagement professionnel. Son énergie, son optimisme, son ardeur sont exceptionnels, malgré ses incessants dépassements de limites (de nourriture, de boissons, de plaisirs, de veillées). Il récupère tout grâce au sommeil.

En position blessée, dans un thème, avec Lune ou ascendant Vierge, ce Mars ne permet pas à la personne d'exprimer sa générosité. Elle lui confère une autorité mal dirigée, une tendance à dépasser les limites, dans ses propos et ses actes, et dans ses relations humaines et le contraint à garder une position subalterne ou à prendre trop de responsabilités. En contradiction avec une Lune ou un ascendant Poissons, ce Mars confère au natif des désirs touffus mais imprécis, une difficulté à se confronter avec le réel (d'où, une grande faim d'évasion, géographique, mystique ou hallucinogène) et peut donner une forme de confusion dans l'action.

Mars en Capricorne

L'individu doté de ce Mars fait preuve d'une volonté inébranlable. L'énergie est canalisée sur un objectif – généralement élevé – et se concentre tout entière sur lui, parfois au détriment de l'amour, des relations avec autrui, de toute forme de divertissement ou « distraction ». Il n'y a guère à dire de son engagement amoureux : pour lui, les sentiments passent en dernier, bien après ses ambitions et son devoir. Autant dire qu'il ne s'agit pas d'une personne exubérante, ni souple. Sans être calculatrice, elle mesure ses forces, elle se coupe de son environnement par tous les moyens : physiques (oubliant volontiers le boire et le manger, voire le sommeil), affectifs : elle s'acharne à se détacher des êtres qui comptent pour elle, nulle dépendance ne devant entrer dans la composition de l'animal ; moraux – au risque de se faire rejeter des groupes sociaux, elle refuse de composer, à plus forte raison de pactiser avec les compromissions de ses congénères – et même religieux : l'être dont le mysticisme se développe dans cette solitude imposée suit souvent sa propre voie « religieuse », sans s'intégrer à une communauté ou un groupe. Il est hanté par la réussite, et déploie une persévérance acharnée pour l'atteindre. C'est quelqu'un de renfermé, réservé ou assez introverti. Chez un homme, il donne une certaine difficulté à exprimer sa sexualité, qui sera souvent sacrifiée à son ambition. Chez une femme, il incline à la solitude, à l'isolement dans la vie professionnelle, et fait rechercher un partenaire qui l'aide dans son ascension sociale – ou ses desseins artistiques, car il est assez tenté par une ascèse dans l'art, la danse, la peinture. La politique l'attire également beaucoup. Ce n'est pas une réussite facile. En général, la personne est confrontée à des obstacles dans la réalisation de ses objectifs. Mais la seconde partie de sa vie voit le couronnement de tous ses efforts.

En aspect conflictuel avec la Lune ou l'ascendant Bélier, dans le ciel de naissance, ce Mars peut incliner l'être à des actes impulsifs, irraisonnés, qui retardent ses chances de réussite. Avec la Lune ou l'ascendant Balance au sein d'un thème, la personne risque d'avoir des difficultés à concilier son ambition professionnelle (ou artistique, ou politique) avec son désir d'harmonie dans le couple.

Mars en Verseau

Des activités professionnelles liées aux techniques de pointe, à la télématique, au nucléaire, aux programmes spatiaux ou à la communication télévisuelle sont, en général, les options de prédilection du natif. Il montre aussi un goût pour la recherche, qui le fait se spécialiser dans une matière au détriment de toutes les autres, et une fringale insatiable d'expériences. Chez un homme, la tendance à écarter les sujets dont il a épuisé l'intérêt peut laisser présager des changements de métiers, fréquents, soudains et rapides. Chez une femme, cet aspect fait rechercher un homme ami, une union libre et une profession indépendante, souvent un fief plutôt masculin, comme l'aérospatiale, le pilotage, la mise en scène, l'économie, les finances, les techniques de pointe, l'ingénierie, où elle puisse organiser ses horaires comme elle l'entend. Elle est attirée par les femmes, et même si elle est féminine, elle recherche des hommes androgynes, parfois plus jeunes, avec lesquels elle peut établir des relations d'égal à égal, qu'elle ne trouve pas avec les hommes de son âge. Si elle décide de convoler, elle choisit un de ses admirateurs juvéniles mais non enfantins (elle n'a pas la vocation de materner), avec lequel elle finit sa vie.

La réussite peut être brillante mais éphémère : le temps que dure son intérêt pour l'expérience. Ce natif innove dans le domaine professionnel, il a une précocité, une originalité, un talent que l'on devine innés. S'il est chercheur, c'est le lieu de découvertes infatigables, s'il est musicien ou réalisateur, il produit des chefs-d'œuvre. La vocation des êtres ayant Mars en Verseau est d'être professionnellement incompris et ils n'en ont cure. Du reste, c'est bien souvent après leur mort qu'ils sont découverts et glorifiés !

En aspect contrarié avec la Lune ou l'ascendant Taureau, il peut y avoir conflit entre le goût profond du changement, chez le natif, et son besoin instinctif de sécurité. Cela risque de se traduire par des coups de foudre dévastateurs ou des courts-circuits dans l'activité professionnelle, suivis de comportements d'excessive possessivité, de jalousie, des bouffées colériques suivies de phases de repli où l'être rumine et s'enlise obstinément dans l'immobilisme, le refus d'innover, une attitude « réactionnaire ».

En aspect conflictuel avec la Lune ou l'ascendant Scorpion, l'être se trouve violenté par ses appétits d'expériences charnelles, d'une part, et sa quête de perfection, d'élévation artistique, sociale, professionnelle d'une part, dans l'isolement et le rejet du monde. On assiste parfois à un comportement contradictoire entre le complexe de Don Juan et l'ascétisme absolu.

Mars en Poissons

La contradiction saute aux yeux : entre cet astre violent, de prise sur la réalité concrète, cet astre impulsif, belliqueux, et la douceur fusionnelle, les visions cosmiques du Poissons. Si le ciel de naissance est conforme à ce Mars, l'être va chercher dans une action humanitaire, le bénévolat, un exutoire à son besoin d'expiation et de sacrifice ; en outre, sa sentimentalité à fleur de peau le rend généreux jusqu'à l'oubli de soi, lui fait donner tout de lui-même, son temps, ses dons, son énergie à un vaste projet humain. Les saints, les héros, les grands stigmatisés, les contemplatifs, les mystiques et les anachorètes ont souvent Mars en Poissons.

Chez le profane, le natif recherche, professionnellement, une immersion anonyme dans l'océan de ses frères humains – ou animaux. Il donne le goût des métiers de secours – depuis les médecins, vétérinaires et autres spécialités médicales, jusqu'aux aides, auxiliaires de famille, assistants sociaux. Grâce à ses dons médiumniques, le natif peut aussi exercer partout où le flair, la communication télépathique jouent un rôle important : tous les métiers artistiques, où la popularité se voit fréquemment chez les natifs ; ceux liés à l'eau, à la navigation, aux grands voyages. Chez les femmes, cet aspect fait rechercher un époux mystique, avec son corollaire : les vocations monastiques. Elle a besoin d'idéaliser l'homme et fusionne avec la gent masculine, dans son expression professionnelle ou sociale. Ses métiers peuvent être liés au public, à la guérison du corps et de l'âme, au cinéma. De grands voyants et médiums se classent dans cette catégorie.

Son magnétisme, son aura, sa profonde compréhension d'autrui lui permettent de réussir – souvent de façon incompréhensible, mystérieuse, inexplicable. En aspect défavorable avec la Lune ou l'ascendant Gémeaux, il contrarie ou entrave l'expression artistique : l'être se trouve en porte à faux par rapport à ses dons pédagogiques, son besoin d'échange, la nécessité où il se trouve de communiquer sa connaissance à ses semblables, à la façon rapide, synthétique et parfois elliptique du mercurien. En position conflictuelle avec la Lune ou l'ascendant Sagittaire, la sensibilité poétique du natif est heurtée par ses propres impératifs entreprenants, combatifs, actifs. Sa sensibilité fataliste peut le rendre inactif et son imagination fertile risque d'entraver son action, l'éloignant de la réalité, lui brouillant ses objectifs concrets.

Jupiter dans les signes

Gouverneur du signe du Sagittaire et cogouverneur de celui des Poissons, avec Neptune, il est dénommé « Grand bénéfique » par les Anciens, car il accorde la « chance », la joie de vivre, l'enthousiasme, les relations et l'ouverture nécessaires à toute entreprise vitale. Sa position en thème natal signale donc l'attitude de la personnalité dans ce domaine et aussi, les excès auxquels elle peut être conduite.

Jupiter en Bélier

C'est un Jupiter qui provoque et initie toutes ses chances. Il tente des « coups » de façon assez brusque, avec audace, confiance et intrépidité. Peut-être est-ce la raison pour laquelle, bien souvent, la chance lui sourit. Il doit cependant veiller à ne pas prendre trop de risques non calculés.

Jupiter en Taureau

C'est dans le domaine des biens, des propriétés, des gains matériels que s'emploie l'énergie du natif – avec succès, car il a de la patience, de l'obstination, de la volonté et beaucoup de charme quand il s'en donne la peine. Il doit veiller à ce que sa propension à posséder ne prenne pas la place des sentiments.

Jupiter en Gémeaux

Un don inné pour la parole, les contacts, l'écriture, les études, et... la fratrie. La famille proche peut aussi bénéficier de cette générosité à l'égard de la fraternité. Tout ce que le natif entreprend dans ces voies réussit. Il doit veiller à ne pas se disperser.

Jupiter en Cancer

La chance provient des parents – plus spécialement de la mère –, de la famille, des héritages, propriétés de famille, de la patrie où le natif est né. Il exploite avec succès tout ce qui touche à l'enfance, au passé, à l'histoire, à la gastronomie, au grand public – dont il a la faveur – et aux œuvres artistiques. Il peut se montrer boulimique dans ces matières et devra modérer sa gourmandise.

Jupiter en Lion

C'est le Jupiter des grands orgueilleux. Il confère une grande générosité, des dispositions pour l'art et la peinture, le théâtre, la comédie et la bienveillance. Ceux qui l'ont dans leur thème sont capables de renoncer à un pactole financier pour raisons morales, pour garder intacte leur (bonne) opinion d'eux-mêmes et leur vertu. Ils doivent cependant se méfier de leur propension à donner sans compter.

Jupiter en Vierge

Il protège la vie familiale, la santé, le travail. Donne de grandes joies dans les relations intimistes, favorise les contacts et une certaine érudition, peut donner une attirance pour les métiers de service (aussi bien dans le domaine médical que dans celui de la culture ou de la gastronomie). Il peut avoir une tendance à transformer toutes les valeurs humaines en termes financiers.

Jupiter en Balance

Une grande chance dans tout ce qui touche aux associations, au couple, aux relations sociales avec autrui. L'être trouve au bon moment les personnes qu'il lui faut pour réaliser un rêve ou un projet. Il attire beaucoup à lui : des êtres distingués, dotés d'une certaine noblesse, ou des artistes. Il peut se montrer excessif dans sa demande au sein du couple, ou dans ses revendications sociales, ce qui l'amène à rompre l'harmonie avec ses partenaires (sociaux ou privés).

Jupiter en Scorpion

Il favorise les questions ayant trait aux héritages, à la mort, à la renaissance – spirituelle, en particulier – et à tout ce qui concerne la fortune. Il donne un fort attrait pour le mysticisme. Le natif aime à s'entourer de chers disparus, qui sont pour lui vivants. Il est aussi très intéressé par les questions sexuelles. Il doit veiller à ne pas abuser des dons que la nature lui prête, tendance inhérente au signe.

Jupiter en Sagittaire

Confère beaucoup de chance en voyage. Le natif est doué pour les langues et très protégé à l'étranger. Il est aussi passionné de questions spirituelles, de philosophie, de tout ce qui élargit la conscience et grandit l'âme. Il doit veiller à ne pas être trop prodigue – de son temps, de son argent, de ses dons – et à ne pas trop faire confiance aux autres.

Jupiter en Capricorne

Les natifs sont plus enclins à s'épanouir à l'âge mûr. Donne une grande confiance en ses capacités, une aisance à s'élever dans la hiérarchie sociale, le goût de l'effort et de la persévérance. Ce Jupiter permet d'avoir un grand sens politique, mais il peut, s'il n'y prend garde, avoir une tendance à se servir des gens quand ils lui sont utiles. Et les oublier ensuite.

Jupiter en Verseau

L'intelligence du modernisme, des techniques de pointe et de l'humain est très vive. Le natif est protégé dans ses inventions, innovations, recherches. Ce qui favorise le développement de l'homme, son essor, son évolution, son devenir dans l'espace, le cosmos, tout cela le fascine et il y réussit bien. Ses excès concernent son manque absolu d'esprit pratique, son insubordination à toute forme d'autorité, une difficulté ou une résistance à exploiter tous ses dons.

Jupiter en Poissons

Le natif est favorisé dans ses perceptions sensorielles, il a des dons visionnaires qui lui permettent de prédire – pour lui et pour d'autres – les événements à venir. Il sait s'intégrer à tous les courants, tous les mouvements, et il est profondément mystique. Il doit se garder de ne pas trop se laisser aller à ses succès, et il doit aussi exercer sa volonté.

Saturne dans les signes

Gouverneur du signe du Capricorne, cogouverneur de la Balance et du Verseau, Saturne indique les zones de restrictions du natif, l'endroit où il est appelé à manquer, à se sentir frustré ou dépossédé. Tout ce qui, en nous, retient, rompt, défait, se ferme ou se défend est du domaine de Saturne. Mais aussi ce qui oblige à s'élever, à se dépasser, à se structurer.

Saturne en Bélier

Saturne met ici le natif en position de rompre des choses qui viennent de commencer, ou de prendre ses distances de façon irréfléchie, ou encore d'apposer son veto dans des circonstances prématurées. Il peut s'offrir le luxe d'attendre, de tenir tous les éléments avant de trancher.

Saturne en Taureau

C'est une position qui peut empêcher l'être de s'épanouir sur le plan de l'alimentation (anorexie) ou de toute autre gratification sensorielle. Il peut aussi se montrer réticent à propos d'acquisitions, souffrir de difficultés financières. Le risque peut être d'exagérer dans la possession de biens matériels.

Saturne en Gémeaux

Une certaine difficulté à exprimer sa sympathie empêche le natif de communiquer avec ses proches, sa famille, ses amis. Maladresse dans les écrits, ou problèmes à exprimer ce qu'il ressent. Il peut avoir tendance à dramatiser des faits anodins ou à se montrer excessivement grincheux. L'aspect favorable de cette position lui donne une certaine persévérance dans ses études et la poursuite de ses objectifs intellectuels.

Saturne en Cancer

Ici, Saturne donne à l'être un incurable besoin de sécurité, un besoin inextinguible de chaleur et de compréhension familiales. Il est cassant dans son foyer, avec des critiques maladroites et sévères car il a beaucoup de mal à exprimer sa tendresse. Il peut être incompris de sa famille ou du public.

Saturne en Lion

Il rend le natif très sourcilleux sur les questions d'amour-propre, réticent à solliciter l'appui de gens haut placés, soucieux de se démarquer ou de se retrancher du jeu, des hiérarchies sociales et des combines. Il peut aussi donner des frustrations dans le domaine des créations et procréations.

Saturne en Vierge

Le refus de toute impureté physique ou morale peut conduire l'individu à des mesures extrémistes, des comportements asociaux, l'obsession d'être contaminé. Il donne aussi des scrupules excessifs à dépenser de l'argent, même pour un minimum de confort personnel. Une tendance à l'ascétisme, à la privation spartiate.

Saturne en Balance

Les associations, quelle que soit la forme sous laquelle elles se présentent, sont mal ressenties. La volonté de domination empêche le natif d'accéder à une réelle harmonie dans l'échange, la communication. Il y a des difficultés à dialoguer, à se concerter avec son partenaire, à établir une relation de complicité. D'où une frustration dans le mariage générée, inconsciemment ou consciemment, par le natif.

Saturne en Scorpion

Ce Saturne est plutôt à son aise dans le signe exigeant du Scorpion. Il rend l'être intransigeant en affaires, lui fait renoncer à des gains et des possessions matérielles en vue de récompenses différentes, plus honorifiques, immatérielles. L'excès peut provenir de ses scrupules, de son absolu détachement par rapport au monde matériel.

Saturne en Sagittaire

Il y a une restriction dans la foi en soi, en autrui, voire en Dieu. L'être est amené à refuser des sujets étranges ou paranormaux, à se fermer à toute dimension parapsychologique. Il est frustré dans ses projets à long terme, ce qui touche au lointain, aux contrées exotiques ou aux « honneurs ».

Saturne en Capricorne

Ce Saturne dessèche, dépouille le natif de tout senti-mentalisme : il est en accord avec son ambition, qui est immense socialement. Il a l'habitude de comman-der et ne permet pas aux êtres d'amoindrir, fût-ce d'un pouce, son autorité sans compromissions, d'adoucir son manque de souplesse, de composer avec ses penchants tyranniques. Il ferait plutôt profession de frustrer autrui !

Saturne en Verseau

Ce Saturne accentue la nature brusque du natif. Il peut se montrer avare de son temps et avoir des rela-tions difficiles avec ses amis. Il redoute toute forme de progrès, qu'il a tendance à rejeter. Inconsciemment, il a peur de ne pas parvenir à égaler ses contemporains. S'il peut travailler dans un domaine de recherche bio-logique ou dans la télécommunication, son tempéra-ment maniaque et intransigeant s'assouplit.

Saturne en Poissons

Ce Saturne donne une certaine défiance pour tout ce qui est irrationnel, paranormal ou métaphysique. S'il approfondit cette réticence, le natif peut devenir un spécialiste – même détracteur – en cette matière et y acquérir une grande autorité. Il s'emploie à détruire l'illusion, l'image, frustrer ou se frustrer de tout espoir, de toute « utopie » généreuse, de toute croyance.

Uranus dans les signes

Gouverneur du Verseau, Uranus préside aux change-ments brusques et imprévus. Dans le thème astral d'un individu, il indique les capacités de l'être à saisir les opportunités, les offres, les occasions, les rencontres qui se placent sur sa route. Mais aussi à s'élever, à détruire les limites et les structures rigides, à ouvrir son champ d'expériences.

Uranus en Bélier

Il est ici en plein essor : le natif fait flèche de tout bois, avec un esprit d'à-propos, un flair et une rapidité appréciables. Agile, il est aussi habile à initier des entreprises, déclencher des mouvements, instruire des groupes. Il est fort, saisit les balles au bond.

Uranus en Taureau
Les changements concernent les possessions et les biens immobiliers, les gains matériels. Il peut y avoir de brusques « revers », suivis d'aussi imprévisibles retours de fortune. Le natif doit arriver à conserver sa sérénité et ne pas se montrer trop possessif.

Uranus en Gémeaux
Un certain esprit d'invention, qui s'applique aux relations avec les autres, aux travaux de l'esprit, au don de parole. Le natif sait se renouveler, progresser, recréer de nouveaux contacts, établir des réseaux de communication originaux et anticonventionnels. Il donne des traits de génie verbal ou poétique.

Uranus en Cancer
C'est à des changements dans sa famille, dans ses héritages, dans son foyer ou sa maison, à des déménagements inopinés, des naissances impromptues, et des migrations intercontinentales qu'est exposé le sujet. Il doit acquérir une certaine adaptabilité pour tirer parti de ces changements.

Uranus en Lion
Il faut s'attendre à des prouesses dans les créations du natif : chances saisies au vol, propositions inespérées dans les domaines de l'art, de la décoration, du spectacle, conduisant à de brusques transformations de statut social. Il est conseillé de ne pas repousser les offres et les échéances qui sont proposées : elles pourraient ne plus se représenter.

Uranus en Vierge
De bien étranges coups du sort et coups de chance dans le travail et la santé du natif : tantôt il peut s'agir de grippes ou de désordres intestinaux, tantôt de changements rapides dans le travail. L'être doit s'appliquer à accepter des modifications inattendues dans son milieu professionnel et ne pas trop s'émouvoir de turbulences de santé.

Uranus en Balance

Le natif ne conçoit pas des associations de tout repos ! Qu'il s'agisse de partenaires dans le travail, de duos sportifs, de conjoints ou d'associés, il introduit des changements (assez radicaux) dans ses méthodes, il évolue dans ses conceptions, il transforme et révolutionne. Et, comme pour toute révolution, il faut s'attendre à des ruptures... Les plus importantes siègent au sein même du natif : il rompt sans cesse avec ses anciens schémas de comportement, ce qui peut déstabiliser son entourage.

Uranus en Scorpion

De profondes transformations dans le psychisme du natif sont à attendre, à la suite d'un décès, d'un deuil, qui l'enrichissent et l'apaisent. Sa fascination pour le sexe et la mort vont se développer et lui donner une approche radicalement neuve des problèmes. Il peut aussi s'agir d'une conversion religieuse ou mystique.

Uranus en Sagittaire

Un brusque changement de pays, une rapide évolution à l'étranger, des progrès et des réformes de plus en plus riches et fécondes émaillent l'existence du natif. Il peut bénéficier de grandes faveurs, de coups de chance exceptionnels liés à l'étranger, à des personnes étrangères ou à des sujets traitant de l'étranger. L'étrange et le paranormal peuvent être aussi de la partie.

Uranus en Capricorne

De grands changements politiques, stratégiques, tactiques, dans la carrière, de brusques transformations dans les objectifs sociaux de l'individu, et des coups du sort (la légion d'honneur peut en être !) dans son statut social, ses acquis « moraux », sa réputation.

Uranus en Verseau

Les amis, relations, protecteurs, complices jouent un rôle déterminant et brusque dans la vie de ce citoyen. Il peut se transformer à leur contact ou acquérir un nouveau statut, prendre de nouvelles fonctions, plus altruistes, plus sociales, plus secourables. La télévision, télématique et téléphonie peuvent jouer un rôle déterminant dans cette mutation.

Uranus en Poissons

Assoiffé d'impressions, de sensations, d'émotions fortes, ce natif est aussi décidé à transformer ses difficultés, ses angoisses, ses épreuves en richesses. Il fait peau neuve, opère des mues et obtient de situations éprouvantes, des récompenses et des défis inattendus.

Neptune dans les signes

Gouverneur des Poissons, le lieu où se trouve Neptune va déterminer par quels moyens s'exprimera la poésie inhérente au signe, sa créativité, son imagination. Ainsi, Neptune en Bélier chez un/une Poissons donnera le besoin de traduire en actes ses convictions humanistes, ses dons thérapeutiques, ses batailles en faveur de causes justes.

Neptune en Bélier

Ce signe de feu fait bouillir l'eau de Neptune. La contradiction entre le signe et la planète donne au natif des phases d'action et de prosélytisme intenses, des manières volcaniques suivies de périodes d'immobilisation, de repli inquiet. L'impatience du signe nuit à toute forme d'engagement social, culturel ou religieux à long terme. Il faudrait inventer des « contrats moraux » renouvelables par tacite reconduction !

Neptune en Taureau

Détermine un tempérament plus pragmatique dans l'exploitation de ses dons ; soit le natif utilise son charme et son magnétisme, voire l'attrait sensuel qu'il exerce sur ses contemporains pour promouvoir des œuvres artistiques ou des dons de voyance. Soit il cherche à traduire son idéal mystique à travers des créations terriennes, dans des matériaux bruts (sculptures de bois, de bronze, de pierre) ou dans la représentation de la nature chargée de sensualité, d'émotion charnelle.

Neptune en Gémeaux

L'esprit règne en souverain. Le natif peut se sentir porte-parole de toute une génération, se charger de véhiculer les informations sociales ou politiques, ou enseigner les philosophies, les littératures comparées. Passionné d'échanges, il cherche par la parole ou la diffusion d'écrits, voire l'édition, à ouvrir les frontières de l'esprit et à guérir les âmes des combats stériles qui l'affaiblissent.

Neptune en Cancer
Cet astre de rêve, de poésie et de chimère est bien dans ce signe d'eau chez qui le monde de l'enfance est prêt à jaillir. Il cherche à exalter ses racines, à conter les exploits de ses ancêtres ou, s'il ne dispose pas d'éléments suffisants, il les invente. Son rêve se porte sur sa famille ou des événements qui se sont produits dans l'enfance.

Neptune en Lion
L'idéalisme de l'astre se traduit dans l'art, la peinture, le monde de la création par l'exaltation du sentiment esthétique et par l'expression de la plus noble intelligence. Un idéal de vertu anime le natif, qui cherche à se dégager du monde matériel pour s'élever vers le monde de l'esprit. Il crée, sinon par lui-même, au moins par ses conceptions du divertissement culturel ou artistique.

Neptune en Vierge
La planète de la profusion, de l'immensité, de l'étendue psychique est mal à son aise dans le signe prudent et raisonnable de la Vierge. Elle s'y sent limitée, soumise à une rationalité qu'elle exècre. Elle va cependant disposer l'être à plus de poésie et moins de calcul, lui inspirer des conduites serviables et dévouées, voire des dons de magnétiseur, de sourcier, de « rebouteux ».

Neptune en Balance
C'est à un idéal de justice, d'harmonie, de tolérance et de paix que le natif tend. Il peut être conduit à l'exprimer sous forme d'action sociale ou politique, d'œuvres culturelles, d'écrits, de reportages ou d'associations militantes. Quelle que soit sa formule, il est conduit, parfois à son insu, par un sentiment de profonde solidarité avec les plus défavorisés, et il lutte pour plus de justice sociale, parfois à travers la prière, la méditation et le recueillement.

Neptune en Scorpion

Conduit l'individu à des profondeurs de réflexion, d'analyse et de création qui l'inquiètent et parfois même l'angoissent. Neptune est cependant très efficace ici, exploitant ses fantômes intérieurs, ses hantises et ses fantasmes avec ingéniosité et un sens aigu de la gratification commerciale, de l'or (symbolique ?) ou de l'argent.

Neptune en Sagittaire

L'attrait de l'être pour la philosophie et la sagesse l'amène à voyager, à apprendre de nouvelles langues, à comprendre de nouvelles civilisations. Passionné par ce qui est lointain, ce qui le dépasse, il se forge un idéal de vie qui réconcilie son goût de l'expérience et ses aspirations métaphysiques. Soit en œuvrant dans un domaine artistique, soit en gagnant sa vie à naviguer, soit encore en optant pour une profession qui le fasse voyager, matériellement ou symboliquement.

Neptune en Capricorne

L'idéal inconscient de l'être tourne autour d'un certain matérialisme scientifique. Rien ne vaut l'expérimentation, les démonstrations mathématiques, la preuve par neuf. Les concepts n'ont d'intérêt que s'ils reposent sur des faits concrets, des statistiques et des principes cartésiens. Les idéologies matérialistes reposent sur cette combinaison astre/signe.

Neptune en Verseau

L'idéalisme de la personne née avec Neptune-Verseau prend un visage d'utopie. Elle cherche à transformer les valeurs d'amour et de compassion en système organisé, en une obligation pour tous. Elle voit le meilleur des mondes surgir du chaos, la communion, la pureté des mœurs et la beauté des intentions habiter le cœur de tout homme. Cette réalité perçue à travers le prisme de ses visions l'empêche parfois d'agir efficacement pour son idéal.

Neptune en Poissons

C'est chez les Poissons que Neptune se sent le plus à son aise : cet astre d'immense, d'infini amour dans ce signe de dévotion et de souffrance rédemptrice donne des personnalités de tout premier ordre, des contemplatifs, des érudits, des mystiques, des êtres capables de mourir pour faire triompher leurs causes.

Pluton dans les signes

Dernière étape avant l'espace infini, Pluton exerce peut-être l'influence la plus profonde sur les êtres qu'il marque. Gouverneur du Scorpion, il est responsable des métamorphoses intérieures de l'homme, les plus éprouvantes mais aussi les plus fécondes. Le lieu du thème où se trouve Pluton signale l'endroit où l'être est le plus susceptible de se transformer et de s'enrichir, à la suite de souffrance morale, d'épreuve initiatique, d'œuvre au noir.

Pluton en Bélier
S'il est un lieu où Pluton est mal à l'aise, c'est dans ce signe de feu, contraire à ses pouvoirs. Pluton agit dans la maturation, dans les valeurs rédemptrices de la mort, du passage à l'au-delà, de l'éternité divine, tandis que le Bélier inspire l'acte spontané, voire irréfléchi. Pulsions constructrices, actes spectaculaires, ardeurs justicières, belliqueuses. Le natif s'enrichit par la responsabilité, l'engagement, la lutte pour plus de justice sociale.

Pluton en Taureau
La force constructive du Taureau combat efficacement les mouvements nihilistes de Pluton. Volonté, persévérance, croissance dans la richesse, celle des autres ou la sienne : le sujet évolue et comprend les lois de la vie à travers la gestion de patrimoine. L'argent est un bon moyen de résister au temps.

Pluton en Gémeaux
L'ardeur profonde et passionnée de l'astre s'attache ici aux contacts humains, aux écrits, à la communication des informations, de la culture, à l'exercice de la parole : extraordinaire tribun, génie du discours.

Pluton en Cancer
L'être éprouve un attachement presque passionnel pour sa famille, ses racines, sa patrie ou sa demeure. Il

recherche et instaure une relation d'amour excessif (et parfois, de haine) avec certains membres de sa tribu. Il s'enrichit par la famille ou à travers elle.

Pluton en Lion
Une passion irrationnelle et « tragique » lie ce natif à son œuvre, à ses créations, et à ses enfants, qu'ils soient de chair ou d'art. Il s'enrichit et réussit, soit par ses créations, soit par ses procréations.

Pluton en Vierge
Une passion pour la médecine ou pour la santé. Des préoccupations sanitaires poussent l'être à exagérer ses moindres malaises : il est facilement hypocondriaque. Il s'enrichit et franchit d'importantes étapes dans un métier de service auquel il se dévoue corps et âme.

Pluton en Balance
Le couple, l'union harmonieuse et l'esthétique sont le ressort secret de toute l'existence. L'individu progresse à travers son couple. Il a une passion pour la justice et tous les métiers juridiques, qui lui apportent d'intenses gratifications.

Pluton en Scorpion
L'astre est dans son élément : mystère, secret, flirt avec la mort, amènent à des remises en question, des crises d'identité et des renaissances aussi fécondes qu'elles sont éprouvantes. La sexualité et la mort sont deux sujets de préoccupations majeurs dans l'existence.

Pluton en Sagittaire
Passion douloureuse et contrariée parfois pour les voyages, un étranger, une civilisation étrangère. Intérêt extrême, prédilection pour l'aventure, spirituelle ou géographique. Le sujet s'affranchit de toutes limites spatio-temporelles et triomphe par l'étranger.

Pluton en Capricorne
La carrière, la vie sociale, la réussite sont des sujets de hantise. Le natif dispose d'atouts et d'une énergie extraordinaires, pour combattre les entraves, les obstacles et les retards qui surviennent. Ils servent ses ambitions, l'amènent à la prospérité.

Pluton en Verseau

Un potentiel de créativité et d'invention, des idées géniales, un esprit résolument futuriste, anticonformiste, transformateur. Les amitiés jouent un rôle très déterminant dans l'évolution spirituelle ; elles sont à l'origine d'acquisitions et d'événements imprévus qui changent positivement le cours du destin.

Pluton en Poissons

Créativité intense ; grand pouvoir médiumnique ou de visualisation. Des dons de peintre, de photographe, de réalisateur de théâtre ou de cinéma et de thérapeute. L'être s'enrichit par ses visions, ses pouvoirs thérapeutiques, son instinct médical.

Les Maisons dans les signes

Les douze Maisons de la carte du ciel reposent sur un principe fondamental : l'accomplissement de l'individu dans tous les domaines de la vie terrestre. Ainsi, pour dresser un thème de naissance, on calcule (ou l'on fait calculer), son ascendant, qui s'établit grâce à la date, à l'heure, au lieu de naissance, puis, à partir de l'ascendant, considéré aussi comme la Maison I, on divise le ciel symbolique en douze secteurs (dans le sens inverse des aiguilles d'une montre). Le plus souvent, ces maisons ne débutent pas à l'endroit précis où commence le signe. Ainsi, un individu Capricorne, dont l'ascendant est à 17 degrés du signe du Scorpion, aura vraisemblablement sa Maison I à cheval sur le Scorpion et le Sagittaire. On en déduit qu'il a un comportement « mixte » dans les domaines qui concernent la Maison I. Voici, brièvement, les significations des douze Maisons (ou des douze étapes) de notre évolution intérieure, laquelle se traduit dans les événements qui nous arrivent.

Maison I : les tendances spontanées du comportement. L'aspect physique, la façon de se faire accepter dans le monde. La santé.
Maison II : les biens, les propriétés, les acquisitions.
Maison III : la communication sous toutes ses formes : téléphone, missives, informations, démarches, déplacements, contacts.
Maison IV : le foyer, la mère, les origines, le pays de naissance et celui de la fin de la vie, la maison
Maison V : les loisirs, dans quelque domaine que ce soit; les joies de l'âme, les sports, l'esthétique, la culture, les créations et procréations, les amours.

Maison VI : le travail, le quotidien routinier, le devoir matériel, la santé, dans ce qu'ils ont de contraignant.

Maison VII : le mari, l'épouse, les associés, ceux à qui l'on se lie contractuellement, légalement.

Maison VIII : la mort (symbolique, métaphysique ou physique), les héritages (biologiques, matériels, psychologiques), les possibilités de transformations, de mort initiatique, de « renaissance ».

Maison IX : le lointain, les aspirations, les voyages spirituels ou géographiques, l'étranger, les étrangers, l'inconnu.

Maison X : la carrière, la vie sociale, les ambitions visibles, les réalisations exposées, l'accomplissement social, la réussite.

Maison XI : les protections, les amitiés, les projets, les élans vers le futur.

Maison XII : les prisons morales ou physiques, les exils intérieurs ou géographiques, les épreuves, les empêchements et barrières inconscients, cachés.

Chaque maison située dans un signe différent permettra de prédire – ou de comprendre – l'attitude particulière de tel individu en telle situation : avec ses enfants, dans sa carrière, face à l'argent, etc.

La Maison I (ascendant)

La Maison I (qui est déterminée par l'ascendant) signe l'aspect physique, la santé, les objectifs intérieurs du natif. Elle permet de déceler les points forts (et faibles) de son organisme, ainsi que les potentiels, l'idéal du moi vers lequel il tend. C'est l'une des maisons cruciales du thème : elle renforce ou combat les tendances du signe solaire. Même s'il ne s'y trouve aucune planète, elle signale le lieu vers lequel tend le natif – et auquel il espère parvenir. Ainsi un Bélier ascendant Balance cherchera à exprimer à la fois la combativité ardente du Bélier et la sensibilité artistique, le goût pacificateur, le bonheur conjugal de la Balance.

Maison I en Bélier

Le natif a des traits caractéristiques du Bélier : front étroit, menton fin, saillant, des yeux rapprochés, un nez légèrement proéminent et une bouche charnue. Son corps peut être trapu ou longiligne, mais il a toujours une belle musculature, bien qu'il se tienne légèrement voûté, la tête un peu en avant. Son goût prononcé de la dépense physique l'entraîne sur des skis en haute montagne, en kayak sur des rivières tumultueuses, en voilier sur la haute mer, en plongée, en course à pied, sur des courts de tennis et des parcours de golf. Ses tendances psychologiques sont puissamment novatrices, actives, énergiques, enthousiastes et entreprenantes. Il peut être tenté de les traduire dans son métier comme dans son style de vie, dans ses loisirs ou son foyer. S'il n'y prend garde, il peut tendre vers un narcissisme excessif, ne voir le monde que de son point de vue (partial et subjectif) et commettre des erreurs par impétuosité, précipitation, réflexion insuffisante.

S'il mûrit ses projets, modère ses actes, tempère ses impulsions et ses paroles – parfois terriblement blessantes –, bref, s'il surveille sa nature martienne, il est appelé à un brillant destin, quelle que soit la partie qu'il a choisie. Ses domaines de prédilection sont le sport, bien sûr, mais aussi l'entreprise, l'archéologie, les courses, l'art (en particulier l'art pictural) et la philosophie. Là où il s'agit d'innover, d'ouvrir de nouvelles voies, de chercher de nouvelles solutions, l'ascendant Bélier est à son aise.

Le monde qu'il lui sera le plus difficile d'intégrer : celui de la Balance, son opposé. Celui de l'équilibre, du dialogue, de la concertation, de l'amour de l'autre (femme ou époux), de l'échange, de la mesure, de l'écoute.

Maison I en Taureau

L'ascendant Taureau donne une personnalité très possessive, entière, sensuelle. L'amour et les possessions sont ses deux objectifs. Elle aime la nature, la terre. Son handicap : elle pardonne difficilement les blessures affectives qu'on lui inflige.

Maison I en Gémeaux

L'allure et la jeunesse permanentes de ce natif sidèrent son entourage. Il est brillant, changeant, plein d'esprit et de charme. Il peut finir sa vie (ou reconstruire un foyer) à l'étranger.

Maison I en Cancer

Un visage d'enfant, de grands yeux, une sensibilité émotionnelle et artistique hors du commun. Une certaine difficulté à s'assagir et un besoin de protection le retiennent parfois d'écouter sa vocation.

Maison I en Lion

Une prestance, un rayonnement et une vitalité solaires permettent à la personnalité de s'accomplir de façon spectaculaire. De grandes dispositions pour l'art.

Maison I en Vierge

Une tendance à se montrer humble et effacé, à ne pas se faire reconnaître et apprécier à sa juste valeur. Grande faculté d'analyse, et capacité à s'intéresser à tous les sujets de façon approfondie.

Maison I en Balance

Une recherche constante d'équilibre. La personne est hantée par le couple, l'harmonie et le partage. Elle a du mal à trouver un véritable épanouissement sans son conjoint.

Maison I en Scorpion

Le sujet se montre secret, facilement tourmenté, difficile à apprivoiser. Il réussit bien dans sa vie professionnelle et après des aventures amoureuses houleuses, voire douloureuses, il trouve l'âme-sœur et la sérénité.

Maison I en Sagittaire

Une vie de contacts, de voyages et d'aventures. Les sports, la religion et l'inconnu sont les trois passions de cet être, qui a une chance et des opportunités insolentes !

Maison I en Capricorne

Profondeur, sérieux, concentration, goût du travail et de la rigueur. L'être est porté à s'isoler pour trouver sa vérité et ne s'épargne aucun effort pour atteindre ses idéaux très élevés.

Maison I en Verseau

Grand besoin d'indépendance, grande originalité, anticonformisme et esprit profondément inventif. Un individualisme forcené l'empêche d'accéder aux fonctions de dirigeant qu'il pourrait aisément tenir.

Maison I en Poissons

D'étranges prémonitions, des visions et des perceptions hors du commun. Il est rare qu'un ascendant de cette sorte ne donne pas des êtres surdoués, avec des dons exceptionnels et un grand mysticisme.

La Maison II dans les signes

Le Taureau a la maîtrise symbolique de la Maison II dans un thème de naissance. La Maison II est le lieu qui indique les acquis, les biens, la fortune, sous toutes ses formes (les biens mobiliers ou immobiliers que le natif gagne).

Maison II en Bélier

L'attitude du natif face à l'argent, aux biens matériels, aux valeurs de confort et de prospérité est soumise à de brusques décisions irréfléchies, des coups de chance et des actes risqués, la nature foncièrement dépensière du Bélier ne supportant pas de garder ses acquis.

Maison II en Taureau

C'est évidemment la position idéale pour cette maison, qui trouve dans le Taureau un locataire stable, ou un propriétaire ayant le sens de la valeur de l'argent, de l'épargne. Le natif sait gagner son confort, ses terres, ses biens et faire fructifier son patrimoine.

Maison II en Gémeaux

Insouciants, désinvoltes, peu sensibles à l'argent et à ses avantages, les Gémeaux ont plutôt une tendance à jouer l'argent, les valeurs. Ce sera un naturel spéculateur, ou un spécialiste des changes, ou un gérant de portefeuille, mettant son intelligence au service de l'or ou des biens.

Maison II en Cancer

C'est dans le domaine familial que se porte l'énergie, l'aptitude au gain du natif. Son moteur est la création d'une maison protectrice, d'un foyer, pour ses parents, sa progéniture. Son antre est refuge, considéré comme le port, le bien suprême, douillet comme un cocon.

Maison II en Lion

La reconnaissance sociale par le biais des œuvres d'art ou d'un mode de vie consacré à l'art, à l'esthétique, sont le lieu de toutes les ambitions du natif. Il est amoureux des bijoux anciens, des toiles de maître, des beaux tissus et meubles d'époque.

Maison II en Vierge

Le natif a ici une tendance à thésauriser par peur de manquer. C'est sous forme d'épargne, d'économies que se traduit son besoin d'acquisitions. Il sera aussi doté d'un grand nombre d'assurances-vie, chômage, accidents, etc. car la sécurité est sa hantise, la peur de manquer dans l'avenir est son tourment.

Maison II en Balance

Le partage avec le partenaire, l'associé, le conjoint ou le complice est le lieu privilégié du gain. L'être ne gagne que pour partager et partage tout ce qu'il a, spécialement dans sa relation conjugale. Il peut aussi acquérir des biens par mariage.

Maison II en Scorpion

L'attitude de l'être vis-à-vis de l'argent est très âpre ou au contraire très détachée. Il est de toute façon soumis à la fascination de l'argent, soit par désir, soit par rejet absolu.

Maison II en Sagittaire

L'attitude confiante, généreuse, amie des plaisirs et de la prospérité propre au signe s'applique aux biens et possessions matériels. L'être goûte les intérieurs confortables et grands, une certaine aisance mais plus pour la qualité de la vie que par goût d'une véritable richesse.

Maison II en Capricorne

L'argent et les biens sont l'objet d'un très fort appétit, d'une sorte de boulimie, née d'un profond sentiment de frustration, qui peut être difficile à combler. Il accumule des richesses et des objets précieux, plus avec l'idée de faire des placements (qui ne sont pas forcément rentables) que par sens de l'économie. Ou bien, il opte pour l'ascétisme.

Maison II en Verseau

L'attitude imprévisible, désinvolte du signe se retrouve dans ses rapports avec les acquis, les biens matériels. Tantôt avide de faire fructifier ses richesses, tantôt soucieux de les dilapider, il traverse des hauts et des bas continuels, sans jamais se ruiner, car des coups de chance le sauvent in extremis.

Maison II en Poissons

Des comportements très irréalistes et indécis face à l'argent ne permettent pas à l'être de se constituer de vrais acquis. Il est toujours déphasé par rapport à ses désirs et ne contrôle pas ses revenus. Ou il considère cela avec un œil d'artiste, détaché, et sa seule richesse est dans sa création.

La Maison III dans les signes

Le signe dans lequel est placée la Maison III est le lieu qu'a choisi l'être pour échanger des informations, communiquer avec ses proches, effectuer des déplacements, écrire, en particulier des lettres, mettre en valeur ou en lumière son prochain.

Maison III en Bélier

Impulsivité, précipitation, spontanéité dans les écrits et les paroles du sujet. Il peut provoquer, par sa fougue belliqueuse, des malentendus avec sa proche parentèle.

Maison III en Taureau

La moindre missive est appliquée, elle manifeste toutes les qualités tauriennes de patience, de pragmatisme laborieux, de bon sens. Ces qualités s'appliquent aux relations avec les frères, sœurs, oncles, tantes, parents proches et à toute forme de communication.

Maison III en Gémeaux

La communication est aisée, les sensations, perceptions et réactions sont vives, adaptées.

Maison III en Cancer

Imagination, sensibilité, affectivité profonde caractérisent la communication du sujet, ses écrits et ses messages.

Maison III en Lion

L'individu privilégie l'esthétique dans ses missives et s'attache à des échanges artistiques, culturels. Il rayonne de générosité et provoque l'admiration de ses proches.

Maison III en Vierge

Le natif est scrupuleux, méthodique, perfectionniste dans ses relations. Il programme dans le détail ses moindres déplacements et se montre d'un dévouement extrême vis- à-vis de sa famille proche.

Maison III en Balance

Il y a une constante recherche d'équilibre et de justice dans les communications et les relations. Le natif se préoccupe d'associer, d'unir ou de réconcilier les membres de sa famille qui sont divisés.

Maison III en Scorpion

Des questions d'argent ou de préséance peuvent surgir au sein des réunions de famille. Le citoyen fera preuve d'esprit créateur dans ses communications, sa correspondance et auprès de ses parents proches.

Maison III en Sagittaire

De grands besoins d'évasion, d'exotisme poussent l'être à communiquer dans toutes les contrées du globe. Ses relations avec sa famille apportent sa chaleur et sa philosophie.

Maison III en Capricorne

Une certaine réticence à écrire, à parler, une austère réserve et même un fond critique dans les transmissions d'informations.

Maison III en Verseau

Aucune routine : chaque missive, chaque message innove, véhicule des informations insolites, soudaines, surprenantes.

Maison III en Poissons

Des aspirations à l'immensité émotionnelle, à la fusion avec autrui qui peuvent se traduire par des lettres, des coups de téléphone, des démarches infatigables et quotidiennes. Les relations avec la proche parentèle sont placées sous le signe changeant, mutant des Poissons.

La Maison IV dans les signes

La Maison IV est mise en analogie avec le Cancer : elle révèle les origines de l'être, le foyer dont il est issu ainsi que celui qu'il crée ; son passé, ses bases psychologiques et la fin de sa vie (la deuxième quarantaine).

Maison IV en Bélier

Le natif a connu une enfance sportive et tumultueuse, une mère impulsive, et peut-être de nombreux changements de résidence ou d'écoles. Il est tenté de recréer cela pour ses enfants et peut finir sa vie à s'activer, à s'adonner à de nouveaux sports ou à créer une atmosphère impulsive, turbulente, dans son foyer.

Maison IV en Taureau

C'est d'un milieu familial pragmatique, soucieux de confort et travailleur qu'est issu le natif. Il se montre, à son tour, le plus possessif des pères ou mères et se préoccupe d'assurer à sa progéniture une « dot » solide, héritage ou maison. Foyer ascendant et descendant heureux et matériellement protégé.

Maison IV en Gémeaux

Le jeu, l'insouciance, les débats intellectuels et une gaieté permanente ont dû composer l'atmosphère du foyer. Le natif est poussé à épouser une femme qui recrée ce climat intellectuel, ayant assez peu de sens pratique, mais toujours entourée d'une multitude de relations et passionnée par l'actualité. La fin de sa vie peut être marquée par un remariage ou un changement de pays.

Maison IV en Cancer

C'est le lieu qui lui correspond le plus idéalement. Le natif a dû connaître une mère douce, tendre, aimante, et choisir un ou une partenaire qui recrée cette atmosphère. Une maison accueillante, pleine d'enfants et de récréations et une fin de vie où le natif... retombe en enfance ! Au sens figuré, s'entend.

Maison IV en Lion

L'être est issu d'une famille généreuse, noble de cœur, sinon de robe, ayant un goût profond pour l'esthétique, les arts, la culture. Il a hérité ce goût du Beau, du Bien, et le retransmet à ses enfants. La fin de la vie est rayonnante, sereine, pleine de succès.

Maison IV en Vierge

La famille et surtout la mère du natif a dû être économe, scrupuleuse, attachée aux valeurs morales d'honnêteté et de modestie. Le foyer a peut-être été ressenti comme un lieu d'ordre, de mesure, et celui que l'être recrée présente ces tendances.

Maison IV en Balance

Il y a eu une forte préoccupation de justice, au sein du foyer. La mère était équilibrée, sereine, soucieuse de dialoguer et de comprendre sa progéniture. Il y a un climat d'harmonie et de coopération dans le foyer que le natif recrée, de même qu'il tient très fort à préserver cette complicité et ce dialogue avec son conjoint jusqu'à la fin de sa vie.

Maison IV en Scorpion

Climat de sentiments profonds et passionnels dans l'enfance du natif. La mère est plus « amoureuse » de ses enfants que maternante. L'individu cherche inconsciemment en la mère – ou le père – de ses enfants le même goût des dialogues orageux, des tragédies dans un dé à coudre. Il finit sa vie dans l'accession au pouvoir, à l'argent ou une certaine notoriété.

Maison IV en Sagittaire

Climat familial joyeux, ouvert, famille nombreuse et grands voyages. La connaissance des langues étrangères, l'accueil d'étrangers ont dû émailler l'enfance du natif. Aujourd'hui, il a table et maison ouverte chez lui, sa femme accueille avec la même chaleur, le même enthousiasme les hôtes de passage.

Maison IV en Capricorne

Climat d'origine ou petite enfance ressentis comme douloureux, austères, frustrants ou très ascétiques, voire religieux. L'être recrée à la fin de sa vie ce climat de rupture, de labeur et d'austère quête morale ou sociale, et a tendance à priver ses enfants d'affection.

Maison IV en Verseau

Atmosphère anticonformiste, parents passionnés par les progrès de la médecine ou de la science, fréquentation de milieux intellectuels libres penseurs. La famille fondée par le natif est donc peu conventionnelle (union libre ?), musicienne, poète, très tournée vers les sciences du futur.

Maison IV en Poissons

La mère du natif est imaginative; elle a créé un climat tendre, irréaliste, très fusionnel et est dévouée corps et âme à autrui. Le natif pourra être tenté d'achever sa vie dans la création artistique, entreprendre des études de médecine, entrer dans une confrérie mystique ou une association humanitaire.

La Maison V dans les signes

La Maison V est liée, par tradition, au Lion ; elle représente symboliquement les créations, dans un thème de nativité. Il peut donc aussi bien s'agir de créations artistiques, esthétiques, de mode, de parfums, de découvertes médicales (médicaments, remèdes, par exemple) que de créations de chair. Par extension, tout ce qui est du domaine du loisir, voyages, tourisme, commerce, sports, peut être lié à la Maison V.

Maison V en Bélier

Des loisirs orientés vers des sports violents ou des découvertes, des aventures fulgurantes. Les enfants ou les créations personnelles portent l'empreinte martienne (combativité, action fougueuse, impulsivité).

Maison V en Taureau

Le natif aime les enfants et il en a tôt. Il peut sublimer sa création dans l'art, la peinture, ou la spéculation artistique, la construction, l'architecture, la décoration.

Maison V en Gémeaux
Le natif a des loisirs intellectuels, il se plaît dans l'échange d'idées, la communication sous toutes ses formes ou le tourisme.

Maison V en Cancer
Le foyer est source de détente et de jeux. Le monde de l'enfance, les jouets, ou tout ce qui concerne la famille passionne le natif.

Maison V en Lion
Une maison emplie de création : arts, mode, esthétique, enfants, loisirs, distractions, voyages, livres...

Maison V en Vierge
Grande difficulté à se détendre, à s'amuser, à se distraire. Le natif n'aime que travailler dans ses moments de loisirs et il imprègne ses enfants de cette même rigueur.

Maison V en Balance
L'art, la culture, les artistes sont source de création et de récréation. Le natif aime aussi son couple, l'harmonie conjugale, et la protège jalousement.

Maison V en Scorpion
Les grottes, souterrains et sites sacrés sont des lieux d'exploration pour le natif. Les sciences sociales, religieuses, la philosophie, l'ésotérisme sont aussi des sujets de passion.

Maison V en Sagittaire
Le natif se passionne pour les voyages, les échanges, la connaissance et les philosophies, pris comme une sorte de violon d'Ingres. Il est aussi enthousiasmé par les enfants aventuriers.

Maison V en Capricorne
L'individu né sous cette configuration n'est pas un plaisantin en matière de distractions : tout ce qu'il fait est accompli en vue d'une mission à remplir, d'une tâche à mener à bien. Pas d'enfantillages en perspective.

Maison V en Verseau
Un sens aigu de l'innovation, du divertissement, de la fête. Les amis sont très nombreux et participent aux agapes. Quant aux enfants, ils représentent une source de joie, de jeu et de création incessante.

Maison V en Poissons
Les loisirs sont orientés vers la mer, la voile, les bateaux, les grandes traversées. Les voyages initiatiques, mystiques ou spirituels font partie des objectifs ou des grands rêves des natifs.

La Maison VI dans les signes

L'on attribue la Vierge à la Maison VI car elle est le lieu symbole du travail et de la santé, notamment des petites servitudes.

Maison VI en Bélier
Des décisions concernant le travail seront prises sur un coup de tête. La santé du natif, quoique bonne, est soumise à de brusques fièvres. Il peut attraper des maladies éclairs (infections, indigestions, virus), dont il se débarrasse aussi vite.

Maison VI en Taureau
Le natif a besoin de sécurité dans son travail. Il souscrira à toutes sortes d'assurances, ne prendra jamais le risque de travailler si un contrat « en béton » ne lui assure pas tous les avantages, son programme d'augmentation de salaires et le confort de son bureau. Attitude entêtée en matière de santé, avec ses petites recettes de « rebouteux », ses remèdes naturels, etc.

Maison VI en Gémeaux
Désinvolture et insouciance dans le travail ou difficulté à se concentrer sur un seul travail. Tendance à s'éparpiller, à suivre les modes. Un métier fondé sur les relations publiques ou la communication est probable. Des désordres de santé dus à la nervosité du natif doivent l'encourager à adopter une discipline relaxante, par exemple le yoga.

Maison VI en Cancer

Le travail est envisagé au sein d'une grande (ou moins grande) famille, où le natif est un peu le père (ou la mère) ou l'enfant des autres employés. La santé peut être fragile (une tendance à accumuler les toxines), d'où l'efficacité d'un entraînement à la course de fond, à la marche au grand air ou à la natation.

Maison VI en Lion

Attitudes très solaires dans le travail : orgueil, besoin de dominer ses collaborateurs ou collègues, grand souci de l'image de marque, des apparences. Santé excellente, avec une tendance à jouer les gastronomes qui peut conduire à l'embonpoint.

Maison VI en Vierge

Scrupules, authenticité, conscience et rigueur professionnels vont de pair avec des choix sans concessions. Les domaines médical et paramédical sont protégés. La santé est délicate, elle est soumise à l'équilibre affectif et à l'hygiène de vie du natif. La sobriété est de rigueur.

Maison VI en Balance

Les reins, la vessie, les vertèbres lombaires sont un point sensible de l'anatomie. L'attitude au travail est souple, accommodante, et se plaît à intégrer le point de vue des autres. Il s'agit vraisemblablement d'un métier où les contacts jouent un rôle prépondérant.

Maison VI en Scorpion

La destruction pour renaître et la sexualité sous toute forme constituent vraisemblablement des pôles puissants concernant le travail de l'individu. Directement ou indirectement, les « valeurs Scorpion » de créativité dans la destruction et la reconstruction le meuvent. Sa santé est faite d'une apparente fragilité et d'une résistance à toute épreuve.

Maison VI en Sagittaire

L'être est appelé à traduire dans son métier ses aspirations, son idéal, son goût des voyages et de l'aventure. Attitudes nobles et enthousiastes. La santé est excellente, en particulier s'il pratique un sport ou une activité physique pour laquelle il est fait.

Maison VI en Capricorne

Ténacité, ambition acharnée, désir de réussir sociale-ment, de s'élever dans la hiérarchie, d'acquérir pres-tige et rémunération solides. Grande autorité morale dans son travail. Santé de fer, malgré une petite fai-blesse rhumatismale.

Maison VI en Verseau

Attitudes frondeuses, originales, qui inspire dans le travail toutes sortes de réformes, une infatigable remise en question de ses goûts et qualités, le besoin d'expérimenter. Santé soumise à des flux nerveux d'une grande intensité : bouffées d'énergie suivies d'accès de fatigue.

Maison VI en Poissons

Une vocation thérapeutique semble certaine (kinési-thérapie, médecine, psychothérapie, etc.). Le natif peut aussi intégrer son monde imaginaire à son travail, en faisant de la décoration, de la peinture, de la pho-tographie. La santé donne des faiblesses anodines (allergies, petits maux chroniques) mais rarement de graves alertes, si le natif ne commet pas d'excès.

La Maison VII dans les signes

On attribue la Balance, signe de concertation, de dia-logue, d'échange et de partage à la Maison VII, celle des partenaires, conjoints et associés. Le signe où se trouve la Maison VII détermine donc la façon dont l'être va vivre sa relation à et avec l'autre.

Maison VII en Bélier

L'attitude de l'être vis-à-vis d'éventuels conjoint, asso-ciés, partenaires risque d'être impulsive, soumise à une grande fougue et parfois trop décisionnaire ou intem-pestive, peut-être après de longues hésitations.

Maison VII en Taureau

Une attitude possessive, opiniâtre, parfois empreinte de lenteur et de « secondarité » enveloppe la créature. Elle recherche un conjoint et des partenaires doux, vénusiens, aimant les plaisirs et la vie.

Maison VII en Gémeaux

Une forte disposition à s'associer dans des milieux enseignants, où la culture, l'actualité jouent un rôle prépondérant. La quête s'associe souvent à la communication et aux voyages.

Maison VII en Cancer

La foi en des valeurs familiales, le goût de la tradition, l'amour de la patrie et de l'hérédité, l'amour de la sécurité et un grand attachement au foyer, à la femme, à la mère, conditionnent les associations et le mariage que l'être contractera.

Maison VII en Lion

Le sujet recherchera dans toutes ses associations un caractère de noblesse, de générosité, de magnanimité, et sera d'une extrême exigence en matière de vertu, de droiture et de loyauté. Souvent fait un brillant mariage et des associations très réussies.

Maison VII en Vierge

C'est à l'économie, à la banque ou à l'épargne que pense le natif quand il décide de convoler ou de se lier par contrat. Il recherchera quelqu'un de pratique, de travailleur et de profondément serviable.

Maison VII en Balance

C'est donc la position idéale pour le futur conjoint qui trouvera en cette personne le sens du dialogue, de la concertation, le goût de la coopération et du partage, un profond sens de l'harmonie et de la justice, de l'égalité au sein du couple.

Maison VII en Scorpion

C'est en percevant les remous secrets de l'autre, en capturant le fond de son âme que l'être parvient à l'idée d'association et de lien contractuel. Il peut y avoir des questions d'héritage familial ou la mort d'une personne chère précédant le mariage.

Maison VII en Sagittaire

Une des meilleures positions pour le mariage et les associations heureuses. L'être recherche en ses partenaires et associés des êtres chaleureux, communicatifs, à qui il donne toute sa confiance. De grandes joies et une vraie prospérité lui échoient par mariage, avec quelqu'un qui peut être empreint de religiosité.

Maison VII en Capricorne
Une grande difficulté à communiquer avec ses partenaires, autrement que sur un mode de pouvoir. Le conjoint peut être recherché parmi les êtres plus âgés, des personnes sages, austères, renfermées.

Maison VII en Verseau
L'association de type union libre est ce qui convient le mieux à la personne. Une grande liberté de mœurs, un certain goût de l'expérience dans l'indépendance et la liberté rendent les liens contractuels extrêmement périlleux.

Maison VII en Poissons
Le besoin de fusionner dans l'intimité, la profonde communion de sensations, de perceptions, presque sans parler, est le propre de cette personne. Un certain flou et une certaine inspiration (mystique, souvent) imprègnent sa quête.

La Maison VIII dans les signes

La Maison VIII est traditionnellement attribuée au Scorpion. Elle signifie mort et renaissance, transformation et création après destruction. Le lieu où elle se situe détermine les possibilités de mutation de l'être, la façon qu'il a de rebondir face à l'épreuve et à la mort.

Maison VIII en Bélier
Un risque de transformation brusque et imprévisible qui bouleverse la personnalité : une sorte de mort symbolique, un renouveau par une initiation ou une action décisive.

Maison VIII en Taureau
Renoncement aux biens, aux possessions, à l'argent, à l'instinct de possession ou, au contraire, les circonstances apporteront à la personne des héritages, des biens, auxquels il ne s'attache pas.

Maison VIII en Gémeaux
Des études abandonnées à mi-chemin sont reprises. Des démarches auxquelles le natif ne croyait plus portent leurs fruits. Changements et mutations à travers des écrits, une forme de communication.

Maison VIII en Cancer
Mort symbolique, renoncement à une image parentale forte. Renoncement à une mère, à une maison, sacrifice d'un foyer, d'une patrie.

Maison VIII en Lion
Sacrifice d'une situation, d'une réputation, d'un honneur. Renoncement à une position flatteuse ou à un égocentrisme narcissique. La mort est ressentie comme un appel vers la lumière.

Maison VIII en Vierge
Fin d'une épargne maladive, renoncement à des êtres marqués par la Vierge ou abandon d'attitudes trop perfectionnistes.

Maison VIII en Balance
Mort de l'image trop idéale ? De l'associé, du partenaire, ou du conjoint. Rupture et renaissance du couple.

Maison VIII en Scorpion
Métamorphose de l'être après une mort symbolique à soi-même, un renoncement, un sacrifice.

Maison VIII en Sagittaire
Transformation à la suite d'un voyage, d'aventures exceptionnelles, renaissance en un autre pays parmi des habitants étrangers.

Maison VIII en Capricorne
Sacrifice d'une ambition. Le natif renaît après un renoncement à une position importante, une gratification sociale.

Maison VIII en Verseau
Renaissance prométhéenne après une chute. De nouvelles amitiés puissantes protègent et accompagnent cette résurrection.

Maison VIII en Poissons

Mourir à la souffrance, à la douleur, à la tragédie : est-ce possible ? C'est en tout cas le défi lancé à ce natif. Il peut renaître neuf, et ne plus avoir besoin d'épreuves rédemptrices pour vivre.

La Maison IX dans les signes

La Maison IX, maison de l'aspiration de l'être à l'inconnu, à l'étranger, à l'aventure, à la Connaissance et aux philosophies, est attribuée au signe du Sagittaire. Le lieu où elle se trouve détermine la façon dont l'être perçoit le lointain, l'inconnu, sous toutes leurs formes.

Maison IX en Bélier

C'est par l'action, la conquête d'horizons nouveaux et les dangers que le sujet cherche à se dépasser.

Maison IX en Taureau

Une grande difficulté à se mouvoir spirituellement et géographiquement. Le natif envisage l'inconnu avec un certain pragmatisme et a du mal à changer de pays, apprendre de nouvelles langues, etc.

Maison IX en Gémeaux

Des dispositions pour les voyages de l'âme, les grands débats d'idées, les communications – normales et télépathiques –, l'étude, les religions et... la sagesse.

Maison IX en Cancer

C'est en réunissant tous ses proches que le natif a le plus le sentiment de voyager. Il sera peut-être conduit à construire son foyer à l'étranger ou avec un/une étrangère.

Maison IX en Lion

Une étoile, un royaume ou un couvent : telles sont les trois raisons qui poussent le natif au voyage. Volontiers mystique, amant de la beauté et des richesses, fou de ciels étoilés et de lumière.

Maison IX en Vierge

Une maison de voyages et d'aventures dans un signe

de service, d'économie et de logique. La personne cherche à parfaire des connaissances techniques ou médicales dans ses rapports avec le lointain.

Maison IX en Balance
C'est en couple, pour et à travers une certaine idée de l'harmonie que l'être cherche à voyager. Il œuvre pour un idéal de justice sociale.

Maison IX en Scorpion
Pour ce natif, les fonds de mer, les grottes ou les abysses représentent ce vers quoi il tend. Il est très tenté par les trésors des fonds sous-marins, les découvertes spéléologiques, les pierres et métaux précieux.

Maison IX en Sagittaire
C'est l'idéal sous toutes ses formes que recherche ce natif : l'idéal mystique, l'idéal moral, l'idéal moral et intellectuel. Il le réalise assez rapidement et représente une lumière pour les autres.

Maison IX en Capricorne
Il est difficile de ne pas réaliser ses objectifs politiques ou technologiques sous de tels aspects. Ce qui est certain, c'est que rien ni personne ne peut entraver sa volonté.

Maison IX en Verseau
La technologie de pointe, les sciences, la médecine, la recherche déterminent la quête et les voyages de ce sujet. Il se spécialise dans les voyages originaux, insolites et décidés brusquement.

Maison IX en Poissons
Un idéal religieux, un tour du monde dans la contemplation ou une « croisade » mystique font partie de la recherche réelle ou imaginaire de cette créature.

La Maison X dans les signes

La Maison X est analogiquement attribuée au Capricorne. Elle emprunte au signe son appétit de réussite, son immense ambition (sociale et personnelle) et son aptitude à dominer son destin. Le signe où elle se trouve placée dans un thème signale sa façon de réussir.

Maison X en Bélier
Ce natif n'a pas le sens du compromis dans sa carrière. Il est impétueux, téméraire, audacieux et peu patient. En outre, il ne supporte pas d'avoir réussi, aussi recommence-t-il sans cesse de nouveaux combats.

Maison X en Taureau
Personnalité soucieuse de réussite matérielle. Elle est susceptible de faire une brillante carrière dans l'art, le cinéma ou la musique.

Maison X en Gémeaux
Un destin souvent divisé en deux parties distinctes. Changement d'orientation ou d'objectifs. Une prédisposition pour les métiers de communication semble certaine.

Maison X en Cancer
C'est dans un contexte familial, grâce à son foyer d'origine ou à celui qu'il crée que le natif est le plus à même de réussir. Il peut être déterminé dans le choix de sa carrière par des enfants ou un univers enfantin.

Maison X en Lion
A priori, c'est l'un des signes les plus heureux et les plus adaptés à la Maison X. La carrière est souvent spectaculaire, avec des honneurs et une reconnaissance sociale exceptionnelle.

Maison X en Vierge
Les professions de santé, les archives et les collections sous toutes leurs formes font partie des terrains de prédilection du natif. Il demeure dans l'ombre, craint le faste et les honneurs et reste extrêmement modeste dans la réussite.

Maison X en Balance

La diplomatie, la justice et les arts sont les trois axes de carrière possibles pour épanouir ses facultés latentes et obtenir l'équilibre professionnel que recherche plus que tout autre ce natif.

Maison X en Scorpion

Elle est mal à l'aise dans ce signe des profondeurs et des tourments secrets. Le natif sera donc conduit à chercher dans des voies secrètes son équilibre. Banque, recherche, finances, occultisme et psychanalyse font partie de ses voies.

Maison X en Sagittaire

L'être est très tôt comblé dans toutes ses aspirations et ses besoins. Il peut opter pour une démarche philosophique, des relations privilégiées avec l'étranger, les langues ou l'aventure. Il obtient une vraie renommée.

Maison X en Capricorne

La maison qui correspond au signe. L'être a les valeurs qu'il faut pour réaliser un accomplissement parfait : ambition, aspirations élevées, ténacité, persévérance, mémoire, sens politique et envergure.

Maison X en Verseau

Imprévisibilité, coups de chance et changements inattendus parsèment la vie professionnelle de cet individu. De la technologie de pointe à l'informatique, du cinéma à la musique, de l'ingénierie à l'aérospatiale, il est doué et pluridisciplinaire.

Maison X en Poissons

C'est dans l'image, ou dans les ondes (sous toutes leurs formes : radiophoniques, aquatiques ou parapsychiques) que le sujet est appelé à se faire un nom. Il y a de fortes probabilités qu'il soit ou devienne populaire.

La Maison XI dans les signes

La Maison XI est une des clés affectives du thème astral. Elle détermine la capacité de l'être à se faire des amis et à les garder, ainsi que sa façon de se projeter dans l'avenir.

Maison XI en Bélier
Les amitiés et les projets sont envisagés de façon subite, entrepris avec fougue, dans un esprit compétitif. Instinctivement, l'être recherche des protections qui soient difficiles, stimulent son esprit de conquête. Amitiés ou projets flambeurs qui peuvent souffrir de précipitation.

Maison XI en Taureau
Les amis et les protections ainsi que les projets sont placés sous le signe aimable et aimant du Taureau. Douceur, sens de la beauté, du confort marquent les amis. Quant aux projets, ils sont poursuivis avec lenteur et menés jusqu'à leur terme.

Maison XI en Gémeaux
Les amis ont tous une certaine jeunesse et apportent un enrichissement culturel, une ouverture d'esprit considérables. Les projets sont liés à la communication ou au commerce.

Maison XI en Cancer
C'est dans un milieu qui symbolise la famille que ce sujet sera susceptible de trouver support, aide et amitiés. Les amis sont très sensibles, et les projets généralement créatifs, pleins d'imaginaire.

Maison XI en Lion
L'être est entouré d'amis prestigieux, chaleureux, rayonnants et même célèbres. Il conçoit des projets qui tournent autour de l'art, de la culture, de la noblesse et de l'aristocratie.

Maison XI en Vierge
Relations amicales qui s'élaborent dans le milieu du travail, souvent, ou dans des cercles intellectuels. Les

projets sont liés à la santé, à la bonne alimentation ou à l'exercice physique.

Maison XI en Balance
Les protections du natif sont liées à l'art, à la justice ou au monde de la beauté, du décorum. Il a des projets portant autour de ces thèmes, principalement orientés vers les contacts, les échanges et le partage.

Maison XI en Scorpion
Le natif a un naturel sélectif, scrutateur, discriminateur. Aussi bien pour ses relations que pour ses éventuels projets. Les uns comme les autres partagent sa passion des objets, des lieux chargés, comme des métaux et pierres précieux.

Maison XI en Sagittaire
L'ouverture à l'étranger, aux relations avec le monde du tourisme et des voyages conduit le natif à multiplier les amis, les relations et les points de chute au bout du monde.

Maison XI en Capricorne
Les amis sont peu folichons mais fidèles, tenaces, sûrs. Les projets à long terme peuvent concerner un engagement politique à long terme, un idéal mystique, une vocation pédagogique ou érudite.

Maison XI en Verseau
Ce signe est idéalement placé en Verseau. En effet, c'est un signe d'altruisme, de généreux et rayonnant humanisme, dans une maison très tournée vers l'action humanitaire, le dévouement philanthropique. Les amis du natif sont nombreux, fidèles et secourables.

Maison XI en Poissons
Grande propension à s'attirer des amis, des relations dans tous les milieux, à s'attirer toutes les sympathies et à être très aimé. Le cinéma, la peinture ou les grands voyages en mer sont de constantes récréations recherchées par le natif.

La Maison XII dans les signes

La Maison XII est traditionnellement attribuée aux Poissons car elle représente le lieu que choisit l'être en cette vie pour évoluer, se transformer, agrandir son champ de conscience, se dépasser. Que ce soit par la souffrance, par le travail, par l'attente, par la frustration ou par l'amour, cet être fait une mutation qui va modifier sa conception du monde (selon le signe et aussi la planète qui occupe le signe).

Maison XII en Bélier
C'est dans l'action, dans les décisions et les initiatives que l'être peut se dépasser et cherche à franchir ses limites.

Maison XII en Taureau
Les biens mobiliers, immobiliers, les terres et les possessions, les titres et les propriétés amènent le natif à se surpasser. Il renonce à ce qui lui appartenait afin de franchir des limites contraignantes et de s'affranchir du joug de la possessivité. Il est aussi amené à renoncer aux êtres qui étaient « siens » comme aux choses.

Maison XII en Gémeaux
Par l'échange, la communication, la diffusion de ses écrits, le natif va être soumis à une totale remise en question de ses valeurs et de sa vie, axée autour de la connaissance, de l'enseignement ou de la propagation d'informations. Il peut y avoir deux parties distinctes dans sa vie, l'une consacrée à l'acquisition des connaissances, l'autre à leur transmission.

Maison XII en Cancer
La famille, les ascendants, les descendants ou leur histoire, le passé même, sont la cause d'une transformation en profondeur du natif. C'est en son foyer, auprès des siens, sur sa terre d'enracinement qu'il pourra le mieux évoluer, acquérir sagesse et profondeur. Il peut élever la notion de famille au point de la concevoir comme une cellule sacrée, quasi mystique.

Maison XII en Lion
L'aspiration de l'être le porte à vouer un culte au Beau,

au Bien, à la vertu supérieure de l'âme et du corps. Il sacrifie son existence à un idéal presque religieux de l'esthétique, qui lui fait atteindre un dépassement, un entendement supérieur, une créativité secrète qui bouleverse son âme en profondeur.

Maison XII en Vierge
L'épreuve qui permet le dépassement de soi concerne la préservation de la santé, l'hygiène de vie, une forme d'économie à la fois énergétique et matérielle. L'être se dépasse à travers une certaine discipline, des astreintes horaires, un labeur modeste, accompli dans l'ombre avec humilité. A travers cette attitude, elle parvient à du détachement et à la sagesse.

Maison XII en Balance
Le couple, l'harmonie conjugale, l'amour et le sacrement du mariage sont certainement les préoccupations principales du natif. Il sera prêt à beaucoup de concessions pour obtenir cette sérénité à deux tant recherchée, et ce sera pour lui l'occasion de se transformer radicalement.

Maison XII en Scorpion
C'est par un désir de pouvoir et de domination, par l'instinct de reproduction et de destruction que la personne parviendra à se transformer et à se dépasser. Soit en renonçant à des prérogatives, soit, au contraire, en les exigeant et en les obtenant.

Maison XII en Sagittaire
Les voyages, l'exil seront la cause de grands mouvements de l'âme, de remises en question et de découvertes, d'enrichissements et de progrès. L'étranger, les langues, l'enseignement, le dépassement de soi par le sport ou certaines formes d'ascèse font partie des sujets « initiatiques » de ce natif.

Maison XII en Capricorne
L'être va apprendre à s'isoler, à poursuivre ses objectifs sans désemparer, à développer en silence ses ambitions pour se dépasser et franchir ses limites. Il lui faudra remettre en question ses certitudes et s'attacher à des objectifs pratiques afin de se dépasser.

Maison XII en Verseau

Les amis, l'amitié, toutes les formes et tous les témoignages d'altruisme sont l'occasion pour l'être de réviser ses valeurs, de reconsidérer ses jugements. Le don désintéressé de son temps, de ses compétences et de ses moyens devient le moyen de se surpasser et d'atteindre l'idéal auquel il aspire.

Maison XII en Poissons

Océan cosmique de l'amour universel, fusion dans le Grand Tout, le Nirvâna : lieux d'émotions secrètes et d'interrogations qui modifient le natif, lui font appréhender une autre réalité ou le réel d'une tout autre manière. C'est pour et par le don qu'il se transforme, évolue, grandit.

VOUS

Votre personnalité détaillée,
Votre dominante,
Vos références intimes.

Maintenant que vous avez obtenu les informations de votre ciel de naissance, inscrivez bien les degrés des planètes et ceux des Maisons dans chaque signe.

Les planètes

Le Soleil   est à.......... degrés du signe de.....................
La Lune   est à.......... degrés du signe de.....................
Mercure   est à.......... degrés du signe de.....................
Vénus   est à.......... degrés du signe de.....................
Mars   est à.......... degrés du signe de.....................
Jupiter   est à.......... degrés du signe de.....................
Saturne   est à.......... degrés du signe de.....................
Uranus   est à.......... degrés du signe de.....................
Neptune   est à.......... degrés du signe de.....................
Pluton   est à.......... degrés du signe de.....................

Les Maisons

Maison I (ascendant)   à........ degrés de...................
Maison II   à........ degrés de...................
Maison III   à........ degrés de...................
Maison IV (fond-du-ciel) à........ degrés de...................
Maison V   à........ degrés de...................
Maison VI   à........ degrés de...................
Maison VII (descendant) à........ degrés de...................
Maison VIII   à........ degrés de...................
Maison IX   à........ degrés de...................
Maison X (milieu-du-ciel) à........ degrés de...................
Maison XI   à........ degrés de...................
Maison XII   à........ degrés de...................

Ma dominante

....
....
....

Ceux avec lesquels ma dominante s'accorde
facilement :

....
....
....
....
....
....
....

Ceux avec lesquels la diplomatie s'impose :

....
....
....
....
....
....
....

LA PERSONNE DE VOTRE CHOIX
Sa personnalité détaillée,
Sa dominante,
Ses références intimes.

Inscrivez bien les degrés des planètes et ceux des maisons dans chaque signe.

Les planètes

Le Soleil	est à.......... degrés	du signe de....................
La Lune	est à.......... degrés	du signe de....................
Mercure	est à.......... degrés	du signe de....................
Vénus	est à.......... degrés	du signe de....................
Mars	est à.......... degrés	du signe de....................
Jupiter	est à.......... degrés	du signe de....................
Saturne	est à.......... degrés	du signe de....................
Uranus	est à.......... degrés	du signe de....................
Neptune	est à.......... degrés	du signe de....................
Pluton	est à.......... degrés	du signe de....................

Les Maisons

Maison I (ascendant)	à........ degrés de....................
Maison II	à........ degrés de....................
Maison III	à........ degrés de....................
Maison IV (fond-du-ciel)	à........ degrés de....................
Maison V	à........ degrés de....................
Maison VI	à........ degrés de....................
Maison VII (descendant)	à........ degrés de....................
Maison VIII	à........ degrés de....................
Maison IX	à........ degrés de....................
Maison X (milieu-du-ciel)	à........ degrés de....................
Maison XI	à........ degrés de....................
Maison XII	à........ degrés de....................

Sa dominante

....

....

....

Ceux avec lesquels sa dominante s'accorde
facilement :

....

....

....

....

....

....

....

Ceux avec lesquels la diplomatie s'impose :

....

....

....

....

....

....

....

LA SECONDE PERSONNE DE VOTRE CHOIX
Sa personnalité détaillée,
Sa dominante,
Ses références intimes.

Inscrivez bien les degrés des planètes et ceux des Maisons dans chaque signe.

Les planètes

Le Soleil	est à.......... degrés	du signe de...................
La Lune	est à.......... degrés	du signe de...................
Mercure	est à.......... degrés	du signe de...................
Vénus	est à.......... degrés	du signe de...................
Mars	est à.......... degrés	du signe de...................
Jupiter	est à.......... degrés	du signe de...................
Saturne	est à.......... degrés	du signe de...................
Uranus	est à.......... degrés	du signe de...................
Neptune	est à.......... degrés	du signe de...................
Pluton	est à.......... degrés	du signe de...................

Les Maisons

Maison I (ascendant)	à........ degrés de...................
Maison II	à........ degrés de...................
Maison III	à........ degrés de...................
Maison IV (fond-du-ciel)	à........ degrés de...................
Maison V	à........ degrés de...................
Maison VI	à........ degrés de...................
Maison VII (descendant)	à........ degrés de...................
Maison VIII	à........ degrés de...................
Maison IX	à........ degrés de...................
Maison X (milieu-du-ciel)	à........ degrés de...................
Maison XI	à........ degrés de...................
Maison XII	à........ degrés de...................

Sa dominante

....

....

....

Ceux avec lesquels sa dominante s'accorde
facilement :

....

....

....

....

....

....

....

Ceux avec lesquels la diplomatie s'impose :

....

....

....

....

....

....

....